讀書變現的創作法則

心得書評、聽書文稿、短影音和直播，
新手必學、說書系KOL
一定要懂的品牌獲利管道

終身閱讀推廣者
寫作成長教練
弘丹 著

推薦序

讀進去的，是知識、是氣質、也是財富！

「Life 不下課」主持人——歐陽立中

我曾在公立高中任教十年，後來辭職成為自由工作者。聽到這消息，很多我的朋友和讀者既驚訝又佩服。他們心裡想的是：「鐵飯碗大家搶破頭，你怎麼有辦法從容放下？」在他們眼裡，我絕對是勇氣爆表。我也應聲附和他們：「沒有啦，想說教十年了，該出來見見世面啦……」事實上，我藏了一手，沒有告訴他們我之所以敢辭職，是因為掌握了「讀書變現」的秘密。

我本來希望這個秘密石沉大海，但沒想到弘丹的《讀書變現的創作法則》，把他公諸於世了。現在，不管你是想用讀書做副業，還是跟我一樣把讀書當主業，都不再是幻想，而是即將成真的未來。

在《讀書變現的創作法則》裡，好幾處我幾乎是邊讀邊嚷嚷：「對對對，我也是這樣！」像是弘丹指出一般人的讀書盲點：以為要從頭到尾讀完、追求看書速度和數量、看完書之後沒有行動。這些都是讓人深陷低效率閱讀的陷阱，但很多人卻不自知。

另外，你最好奇的想必是，讀書到底要怎麼變現呢？通常這是商業機密，但弘丹竟然佛心寫進書裡了，只要你願意讀完，就能挖到裡頭的寶藏。而且我掛保證，她說的是真的，因為我確實是這樣讀書，而且變現的。

在我離職之前，就有講師朋友找我一起辦讀書會，我們讀書會經營兩年，累積了一群忠實學員；後來疫情爆發，我開始把讀書會轉為線上，叫做「歐陽 Talk 書秀」，每個月固定導讀兩本好書，主題橫跨學習、溝通、商業、投資、寫作、心理等，每季都破百人參加。大家在線上熱烈討論，下線後還會寫聽書心得分享在網路上，我為大家帶來讀書的樂趣，也為自己奠定辭職後的收入，還有什麼比這更有成就感的事呢？

當然，我知道有些人，一看到「讀書變現」這詞，就會有種不舒服感。可能會覺得讀書這麼純粹美好的事，加了變現好像就有了銅臭味。我能理解你的隱憂，不過你回過頭想想，以前讀書求學時，老師和父母不也是告訴我們，讀書考好大學，未來更容易找到好工作，賺錢過好生活嗎？**所以把讀進去的知識，變成你的能力，創造價值造福別人，這不是天經地義的事嗎？**再說，當你有讀書變現的能力，擁有選擇權，可變現也可純粹，這才是真正的強者！

當然，我有一套自己讀書變現的方法，但這本書又打開了我的視野，給了我好多從沒想到的概念和方法。像是我特別喜歡「找不同閱讀法」，這招會讓我們避開閱讀的確認偏誤，不是用選書迎合自己的觀點；而是透過閱讀，找出不同的概念，慢慢累積知識卡片，建立你的寫作資料庫。

總而言之，如果你本身就愛閱讀，那麼《讀書變現的創作法則》為你的閱讀加個利多，何樂不為？如果你本來沒那麼愛閱讀，那正好，因為《讀書變現的創作法則》給你帶來個誘因，這不正是說服自己讀書最好的契機嗎？

推薦序

閱讀不只是閱讀，閱讀還能夠變錢

閱讀人社群主編——鄭俊德

你愛讀書嗎？

我相信能夠跟這本書相遇的你一定對閱讀還有著熱情，否則在閱讀書籍已經快成為稀有人種的時代，我們很難有機會在閱讀裡相遇。

過去有些人認為有好學歷就足以有好工作，不需要再透過閱讀荼毒自己。也有不少人是直接把閱讀跟考試化為等號，熬到畢業就等同不需要再閱讀了。

如果你也曾那麼想，或是你關心的家人朋友也這麼想，那麼讀完這本書將顛覆想法，讓你深知讀書也可以有大用。這個大用不是考好試這麼簡單，也不單是陶冶身心或是培養專業，而是更直接地幫你創造機會、打造人脈、經營品牌，賺到可觀收入。

我以前也不知道閱讀原來可以變現，如果有人這樣跟我說，我心中一定會想這又是哪一種詐騙手法，直到我自己也投入在閱讀推廣領域中，甚至還從中變現賺到錢，我深深相信只要你也熱愛閱讀，你也可以。

這本書前三章談升級讀書思維，突破閱讀誤區再來到閱讀方法，這些觀點與許多閱讀大師們所提技巧都相似，可以幫助愛閱讀的你好好複習。包括如何抽出時間閱讀、六十分鐘讀完一本書、以教代學讀懂一本書以及主題閱讀建立知識體系。

但後面五個章節就直接切入大家關心的重點，如何將閱讀轉化為實際成果，將所讀之書從過去人們重視的內化記憶，轉換成為變現賺錢。關於變現分別有寫讀書文章變現、寫聽書稿變現、直播變現、讀書社群變現、個人品牌變現。

不過，這裡也同時先潑一下大家冷水與熱水。

冷水在於作者本身經營的地域環境，有極大的人口基數十四億人，所以一旦擁有知名度，所創造的變現收益非常可觀，數千萬到數億收入都是做得到的，但回到人口相對較少的台灣，閱讀人口更少，很多台灣作家光要養活自己都極其不容易，所以這本書提到的變現做法不全然能套用在每個人。

但給大家澆上的熱水是，雖然台灣的閱讀人口少，但台灣的多元文化、創意思維、自由言論，都是極其珍貴的價值，另外如果放眼全球海外六千多萬華人，再加上台灣的人口數，基本上要創造百萬千萬收入或是單純尋求溫飽還是做得到，因為我自己就做到了，也曾幫助不少朋友一起做到。

我自己也曾陸續實踐並實驗書中所提到寫讀書文章變現（稿費）、寫聽書稿變現（有聲書）、直播變現、讀書社群變現、個人品牌變現，並一一實踐於企業合作、公部門專案、讀書課程等，所以作者提到的閱讀變現之路是真實可實踐的。

如果你愛閱讀，按著這本書提到的方法陸續實踐，將能夠幫助愛閱讀的你，有機會讓閱讀成為你的正式工作，歡迎你加入閱讀變現的行列。

自序

讀書改變命運，閱讀成爲事業

用讀書成功翻轉階級

我是一個透過讀書改變命運的人，現在讀書已成為我的事業。

在我很小的時候就意識到，要透過讀書改變命運，為自己的人生負責。從七歲上學第一天就下定決心，一定要好好讀書。這個小小的決定，改變了我的一生。

我就讀鄉村小學，每天自己背著書包走二十多分鐘的路到學校。學校的學生人數不多，我們班上只有二十五個人。還有一些班級因為學生太少，所以不同年齡的孩子合併在一起上課。我從小學一年級開始就是班上的第一名，四年級時，學校因學生太少而關閉，我轉學到新學校，依然是班上的前幾名。

小時候，家庭經濟條件並不好，我也因此自卑過。記得小學五年級的時候，要買一本課外評量，全班只有我沒買。我借同學的評量把題目抄下來。每次發評量，一眼就能看到自己的手抄本。

小學的時候，我就學會洗衣、做飯等家事。到了週末，其他小孩在外面玩，我在家裡做家事。我從沒有上過補習班，在課業上，父母從來沒有操過心，都是我自己為成績負責。

我用十八年的時間，實現了七歲時的夢想：以全校第一名的成績考上縣城最好的高中。大學入學考試雖然不如平時考得好，也考上了山東省最好的大學——山東大學；大四時，放棄保送研究所，考上浙江大學研究生。

讀書不僅可以改變自己的命運，也能讓身邊人變得越來越好。我讀書的經歷也影響了弟弟，他在小學時的成績並不突出，有時候還會被國文老師留下來背課文。國中開始，他的成績突飛猛進，後來大學入學考試考了六百九十分的高分，被浙江大學錄取，離當時清華大學的錄取分數只差十幾分。他在浙大讀書時，我剛好在浙大讀研究所。來自普通農村家庭的我們能一起在浙大求學，這是非常幸運也是很不容易的一件事，這背後是十幾年如一日的刻苦學習和為夢想奮鬥的堅持不懈。

讀書是普通人逆襲、突破階層僵化最低成本的一條路。讀書改變了我的命運，滋養了我的心靈，讓我變得有力量，我發自內心感謝讀書所帶來的改變。

從寫心得和書評開始的閱讀複利

學生時代，讀書是為了取得好成績；畢業之後，我跟許多人一樣幾乎不怎麼讀書，一年讀的書不到十本。

二〇一五年，我在機緣巧合下開始寫作。一開始每天寫四百字的日記，默默堅持了半年，才註冊自媒體帳號，進行公開寫作。寫作一段時間後，我發現自己被「掏空」了，什麼也寫不出來。分析原因後，發現是因為「輸入」太少，於是我開始大量閱讀，從一年十幾本增加到六十多本。

看完書，我會寫讀後感和書評，發布在簡書[1]、公眾號[2]、豆瓣[3]等平台。二〇一七年，有多個平台邀請我寫拆解稿[4]和聽書稿，我才知道，原來讀書還可以獲得稿費！我幫多個平台寫稿，讀書寫作的副業達到了了月入過萬；我希望能分享自己的經驗，影響更多人。因此，我在二〇一七年開設了「聽書稿寫作訓練營」，帶領大家一起讀書和寫讀書稿。

二〇一八年十二月，我接到某平台的合作邀請，開發一門讀書寫作課。經過四個多月的課程開發和錄製，終於在二〇一九年三月底上架了「十八節易上手的讀書變現課」這門爆紅課程，短時間就突破了一萬份的銷量，累計銷售五萬多份。光荔枝微

—編注—

1／中國可以進行獨立內容創作和發布的平台。

2／中國一家專注大眾知識分享的平台，全平台所有功能終身免費使用。

3／是一家中國社交網站，以書影音起家。

4／或稱「拆書稿」，是指將書中精華拆解變成一份精華版稿件。

課[5]的瀏覽人數就高達二十五點三五萬人次，用戶購買後的完課率是百分之七十六點二二，許多學員因為買了這門課程而報名我的寫作訓練營和年度會員社群，「開設線上課程」成為我事業發展非常重要的里程碑事件。

我熱愛讀書，讀書帶給我很多機會。我的寫作是從寫讀書類文章起步，寫出了點閱量四十六萬人次的爆紅書單文章、多篇點閱量五萬多人次的書評文章，逐漸寫出影響力，打造出寫作領域的個人品牌。實際加入「視頻號」[6]，也是從直播說書和拍攝讀書類影片開始，入圍「作家榜TOP50」；總共累計直播兩百多場，做到一場直播帶貨二十六點六八萬元（人民幣）。**你熱愛的事情裡，蘊含著無數的機會；當持續做你熱愛的事情時，會有意想不到的收穫。**

影響十數萬人一起改變人生

有人說，什麼曾經拯救過你，你就試著用它來拯救這個世界。讀書改變了我的命運，我相信讀書也能改變更多人的命運。因此，我深耕線上教育七年，專注於閱讀和寫作領域。

從二〇一六年開設第一期「二十一天零基礎寫作訓練營」，累計有一百多期不同的寫作訓練營；從二〇一八年開設年度寫作社群，持續開設五年，每年深度陪伴一千多人；另外，跟多個平台合作開發課程，全網付費用戶十萬多人。

我也跟多家公司和平台合作，提供新媒體文章、拆解稿、聽書稿等文章的服務，而寫作營的學員們則為不同的平台累計寫了五千多篇文章。

因為熱愛，我影響了十幾萬人一起讀書和寫作。有媽媽透過讀書寫作，找回自己的價值，獲得經濟收入，活出更加綻放的生命；有「九五後」[7]的女孩，透過學習寫作，轉行以文字為生，兩年內從實習生到成為三個公眾號的主編，月薪從兩千五百四十元

—編注—

5／中國一家專注大眾知識分享的平台，全平台所有功能終身免費使用。

6／微信視頻號 WeChat Channels，是中國短影音平台。

7／指一九九五年後出生。

（人民幣）大幅成長到稅後兩萬元（人民幣）；有六十多歲的退休阿姨，從零開始學習聽書稿寫作，現在已經成為四家平台的簽約作者。

我們是深度陪伴的寫作成長社群，有許多學員都是一期綁定三至五年的年度會員，還有十年的會員。這個寫作社群陪伴一些學員從單身到結婚，再到懷孕生子，有的還生了第二個孩子。這些學員的人生關鍵時刻，都是和寫作社群一起度過的。

當看到他們的人生真真切切地發生改變，我覺得我找到了人生使命——那就是推廣閱讀和寫作，影響百萬書香家庭，影響千萬人愛上寫作，活出閃閃發光的人生。

現在，讀書已經成為我的事業。把自己的興趣愛好發展成事業，是一件很幸福的事情。做自己熱愛的事業，每一天都是一種饋贈。

以終身閱讀養成的性格特質

你讀過的書，會改變你的思維，會重塑你的生命。閱讀，是世界上門檻最低的高貴行動。讀書是一輩子的事情，在成為終身閱讀者的道路上，我認為有幾種非常重要的特質，在這裡跟各位讀者分享。

特質1：自我擔當

這是人生最重要的特質，無論身處什麼樣的環境，都可以為自己的生命負責。即使現在深陷泥沼，處在人生的困境中或低潮期，當你具備自我擔當的特質，就有能力從泥沼中一躍而起，活出奔騰的人生。

人生中最重要的一件事，就是活得好。因為「自己」才是這個世界上最重要的人，把自己放在第一位，更要活成自己喜歡的樣子，活出自信又閃耀的人生。而且，先把自己照顧好了，才有辦法照顧到所愛的人。

特質2：激發自己的內在動力

內在動力源於我們的渴望，是指發自內心想要去做某些事情，是促使每個人不斷取得成就，實現一個又一個目標的關鍵因素。我的內在動力特別強，不需要外在的驅動和他人的督促，很多事情都是發自內心想做的。

讀書也要激發內在動力，這不是為了別人，是為了自我成長。當我們為自己的人生負責，就是在為自己而讀書。保持閱讀的習慣，透過讀書，實現終身成長。

特質3：專注力和聚焦力

想要成為讀書高手，專注力是非常重要的特質。許多人都苦於專注力的問題，因此閱讀效率很低。我不管是讀書還是上課，都非常專注，幾乎不分心，學習效率很高，吸收率和轉化率也很高。

我能專注閱讀和寫作好幾個小時，在寫這本書時，甚至能一天專心寫十個小時。有些人無法忍受這麼長時間的高度專注，甚至連一小時都無法保持。在閱讀的過程中，要刻意訓練自己的專注力。

在某個領域聚焦也很重要。當你持續在一個領域裡深耕，會產生複利的累積效應；成為該領域的專家，會有很多的資源和機會向你湧來。而這一切，都是時間的複利，

當你不辜負時間，時間也不會辜負你。

特質4：擁有「恆毅力」的特質

想要完成任何事情，都需要堅持和時間的累積。《恆毅力：人生成功的究極能力》

終身閱讀者的四大特質

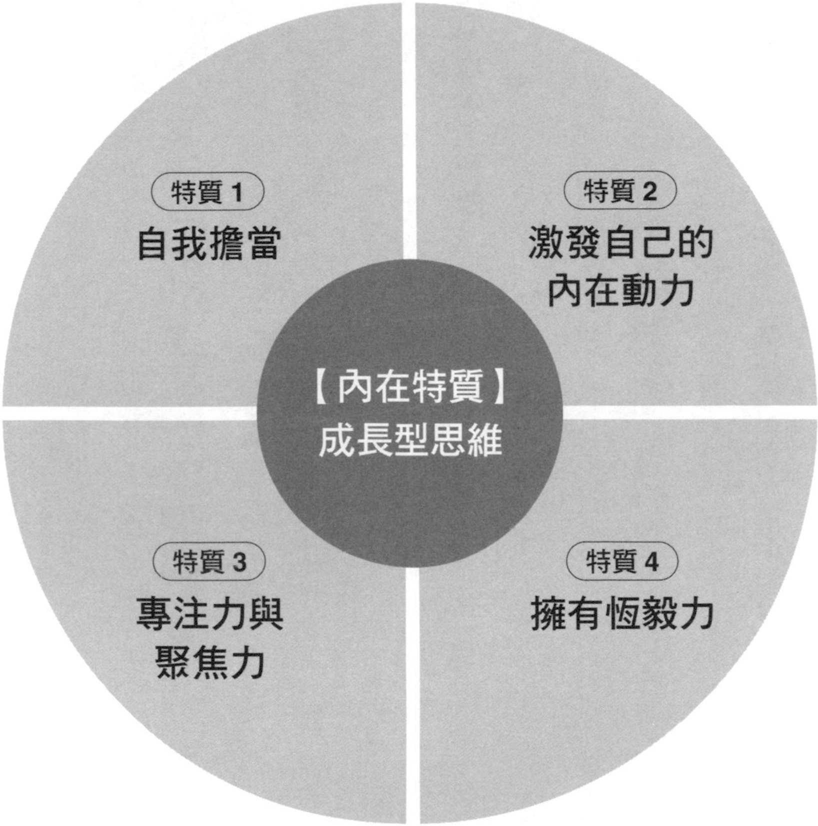
特質 1
自我擔當
特質 2
激發自己的內在動力
【內在特質】
成長型思維
特質 3
專注力與聚焦力
特質 4
擁有恆毅力

（*Grit: The Power of Passion and Perseverance*）的作者安琪拉．達克沃斯（Angela Duckworth），對「恆毅力」的定義是：「向著長期的目標，堅持自己的激情，即使歷經失敗，依然能夠堅持不懈地努力下去。」

我能取得一些成就，跟擁有恆毅力的特質有關；我非常感謝我的父親，他也是有恆毅力的人，從他身上，我學到了不畏艱難、不怕吃苦的精神。

讀書，也需要有恆毅力的特質，因為我們不是短時間讀幾本書，而是要長期閱讀、終身閱讀、要讀幾千本書，絕對需要這樣的特質來克服各種困難，達成自己的目標。

內在特質：擁有成長型思維

人的一生很長，就像《100歲的人生戰略》（*The 100-Year Life: Living and Working in an Age of Longevity*）這本書寫的，也許未來我們可以活到一百歲，不要因為一時的得失而沮喪憂愁，也不要因為暫時的成功而居功自傲，應該像范仲淹說的「不以物喜，不以己悲」。

當你擁有成長型思維，就會相信在任何時候都可以改變自己，就不會懼怕任何挑戰，無論身處什麼樣的環境，都能脫穎而出。

人生不是跟別人比較，而是跟自己比較。要不斷自我成長，發揮出內在潛能，做最好的自己，不到最後一刻，不要輕言放棄。

伏案閱讀的樣子，是我從小到大一直沒變的形象。我覺得自己很幸運，能將小時候喜歡的事情，變成事業。讀書是一輩子的事情，讓我們一起做終身閱讀者，讓閱讀重塑我們的人生，成長為自己喜歡的樣子。

弘丹

二〇二二年十二月二十日於上海

前言

在這個萬事萬物快速變化的時代，讀書不只是一種情懷，更是每個人必備的基本能力和生存技能，也是內容創作變現和實現副業收入的方式之一。

過去幾年，我一直深耕閱讀和寫作領域，不僅成功實現了讀書變現，還帶領許多學員一起實現。我有七年的閱讀和寫作教學經驗，長期在第一線教學，了解用戶在閱讀上的痛點，也被大家對閱讀的渴望深深打動！因此，我寫了這本書。

本書介紹實用的讀書方法，幫助你不斷突破讀書障礙，成為高效閱讀者。讀書不僅可以提升知識和技能，還可以增加財富收入和打造我們的個人品牌。

這本書總共分為三部分——

第一部分，是讀書思維篇。介紹如何升級讀書思維，挖掘讀書內在動力，激發自己的讀書潛能，並帶著你一起制定年度閱讀計畫。

第二部分，是讀書方法篇。我會帶著你突破閱讀的四大盲點，詳細講解五大創意閱讀法和三大高效閱讀法，幫助你打好閱讀基礎，成為一個高效閱讀者。

第三部分，是讀書變現篇。將會介紹如何寫「讀後感、書評、書單」變現、寫聽書稿[8]變現、做短影片和直播變現，以及讀書社群變現和個人品牌變現等。

這本書拆解讀書過程、讀書變現所需的技能，並設計相應的閱讀工具表，是一本非常實用的閱讀工具書。

—編注—

8／內容會添加較為口語化的表述，減去多數的「書面語」，讓讀稿的人可以直接照著稿件錄音。

閱讀是一項技能，需要刻意練習和持續行動。閱讀結合多種輸出方式，將你讀過的書發揮出十倍的價值，打造你的個人品牌，實現讀書變現。如果在閱讀和寫作道路上遇到問題，歡迎關注我的公眾號「弘丹在寫作」和「弘丹讀書」，把你的問題告訴我；也歡迎關注我的視頻號「弘丹寫作」，每週六早上七點來觀看我直播說書。

現在請翻開書，正式開始你的讀書之旅，享受讀書帶來的樂趣，讓我們一起終身閱讀、終身寫作和終身成長。

目錄

第3章 打好閱讀基礎：掌握三大高效閱讀方法

第4章 寫讀書文章變現：如何寫出優質讀後感、書評和推薦書單

第 1 章

升級讀書思維：

啟動「閱讀力」，主動改變人生

想要改變人生，就開始閱讀吧！

我曾看過一句話是「想要改變世界，必須先改變自己」，讀書不是為了完成任務，也不只是為了增長知識，而是為了在閱讀的過程中，了解並改變自己，不斷實現自我突破。我們讀的是別人的故事，激發的是自己生命的力量。

想要成為更好的人，因此內心渴望改變；想追求更多成就，是因為想要活出不一樣的人生。如果你渴望改變，就一定要不斷閱讀，而且要讀自己認知之外的書。人生中很多美好的人和事，都發生在認知改變之後。

每個人都可以透過讀書不斷自我成長，不管原生家庭如何，過往遭受多大的痛苦。書籍可以給來強大的精神力量，讓我們渡過一個又一個難關，陪伴我們持續地實現自我突破。

快速累積數十年的人生經歷和知識量

讀書之所以會帶來快速改變，最重要的是我們要相信「自己可以不斷改變」。如果你覺得人生就這樣了，那麼即使讀再多的書，也不一定對人生有幫助。這種無法改變的心理防禦阻礙了你，讓你無法實踐書中的思維和方法。

愛因斯坦曾說：「不斷地重複做同一件事情，卻期望獲得不同的結果，這就是愚蠢。」如果你不相信自己可以改變，就會一直停留在原地，用同樣的方法做同樣的事情。

許多人為此找了很多藉口：年紀大了、學歷低、原生家庭不好……拒絕改變的背後是害怕失敗、害怕做不到，更甚者是不相信自己可以做到。

無論年齡、學歷、經歷如何，都能改變自己。就像心理學家卡蘿．杜維克（Carol S. Dweck）說的：「你的基本能力是可以透過努力來培養的，每個人都可以透過努力和個人經歷來改變和成長。」無論到哪一個人生階段，都還可以做出改變，最怕你不相信自己有這種能力。

世界上有三種不同類型的人：第一種是快速改變的人，第二種是緩慢改變的人，第三種是從不改變的人。

如果是第一種人，讀書對他的幫助會非常大，每當看完一本書，就會加以實踐並有所改變。每讀一本書，思維就會升級並且反覆運算，他的人生會透過一次次的閱讀而變得不一樣。

如果是第二種人，閱讀也是有幫助的。雖然變動得比較慢，但並沒有停止改變——不怕慢，就怕停，只要沒有停止就是好事。因此緩慢改變的人，雖然改變的速度慢了一些，但是依然是走在改變的路上。

如果是第三種從不改變的人，閱讀對他來說並沒有太大幫助，即使讀了書，他也不會嘗試做出任何改變。

我們的目標是要成為第一種「快速改變的人」，透過閱讀來適應這個快速變化的時代，把學到的知識運用到自己的身上，不斷地成長升級。

而為什麼許多人無法達成想要的改變？因為他們不願意走出舒適圈。舒適圈裡是已知的、確定性的東西，而圈圈外是未知的、不確定的東西。很多人太過害怕未知的一切，寧願忍受痛苦，也不敢邁出圈子。

你想要的美好，都在舒適圈之外。在舒適圈內，你早就獲得了想要的東西，要敢於快速改變，敢於去做不一樣的事情。我的目標是每一年都要活出不同版本的自己，每一年都要重塑自己。每閱讀一本好書，都在幫助我們重塑更好的自我。

讀書的投資回報率是很高的，因為閱讀是用很低的成本，買到作者多年的工作成果。《不可能的任務：創造心流、站上巔峰，從25個好奇清單開始，破解成就公式》（*The Art of Impossible: A Peak Performance Primer*）的作者史蒂芬·科特勒（Steven Kotler），在書中提到這樣的一組資料。

部落格部落格文章：閱讀三分鐘，獲得作者三天的工作成果；

雜誌長文：閱讀二十分鐘，獲得作者四個月的工作成果；

圖書：閱讀五小時，獲得作者十五年的工作成果。

科特勒的《超人的崛起》（*The Rise of Superman*），是結合自己十五年的工作成果和生命體驗寫成的一本書。花五個小時閱讀，就可以獲得他多年的工作成果。我出版的《精進寫作》，是寫作六年的實戰經驗，而本書則是我十多年的高效閱讀並成功變現的實作歷練。

透過閱讀，相當於用很短的時間就能吸收到一位作者多年的成果和體驗，當閱讀量不斷增加，我們就能獲得越來越豐富的知識成果。

TIPS

讀書是成長的捷徑。當人生遇到困難，不知道怎麼辦時，就去讀書吧！在書海中，你一定可以找到合適的解決方案。

現在的閱讀習慣，可以如何改善？

改變的第一步，就是先了解自己的閱讀現狀。我特別設計了一份「閱讀自我評估表」，請你根據目前的實際情況，幫自己的閱讀現狀打分數，滿分為一百分。

這個分數不是為了評判你閱讀的水準，而是讓你了解自己的閱讀現狀，這樣才能制定更好的閱讀方案。另外，這個「閱讀自我評估表」需要每隔一段時間就重做一次，才能清楚地看到自己在閱讀上的成長和進步。

讀書是為了改變自己，用閱讀評估表了解現狀，有方法的提升自己的閱讀能力。如果閱讀評估表的總分在八十分以上，代表閱讀習慣很不錯，可以再接再厲，繼續提升；如果總分在六十到八十分，表示閱讀習慣有進步的空間，可以結合這本書的方法，精進閱讀技能；如果總分在六十分以下，也不要氣餒，這說明進步的空間很大，只要稍微做一些改變，就能大幅提高升分數。

這份閱讀評估表主要是評估大家在閱讀上的行動力，而行動是很容易發生改變的，只要看了這本書，實踐書中的方法，你在閱讀上的行動就已經發生改變了。

閱讀自我評估表

日期：__________

請圈出每項陳述中跟你的現狀和行為相符合的數字。如果該陳述和你的狀況基本不符，請圈數字 1。 如果該陳述和你的狀況非常相符，請圈出數字 10，中間其他數字表示不同的符合程度。

閱讀目的

	不符合		不太符合			比較符合		完全符合		
1. 閱讀每本書，我都會思考閱讀目的，有明確的閱讀目標。	1	2	3	4	5	6	7	8	9	10
2. 我會制定詳細的年度閱讀計畫和每週閱讀計畫。	1	2	3	4	5	6	7	8	9	10
3. 我每週都會抽出時間閱讀，每週至少閱讀 1 個小時。	1	2	3	4	5	6	7	8	9	10
4. 我每年保持一定的閱讀量，每年至少閱讀 20 本書。	1	2	3	4	5	6	7	8	9	10

閱讀方法

	不符合		不太符合			比較符合		完全符合		
1. 我用心挑選閱讀書籍，在閱讀一本書前，會先去看一下網路評分或書評，調查研究後再閱讀。	1	2	3	4	5	6	7	8	9	10
2. 我在閱讀時，會先看封面、封底、目錄等內容，再開始閱讀。	1	2	3	4	5	6	7	8	9	10
3. 我閱讀比較專注，能專心閱讀 30 分鐘以上。	1	2	3	4	5	6	7	8	9	10
4. 我用開放的心態來閱讀，喜歡閱讀不同領域的書籍，每次讀完書都很有成就感，覺得又學到新的知識。	1	2	3	4	5	6	7	8	9	10

閱讀輸出

	不符合		不太符合			比較符合		完全符合		
1. 讀完書後，我會寫行動清單，並實踐與運用書中的方法。	1	2	3	4	5	6	7	8	9	10
2. 讀完書後，我經常寫讀後、書評文章或做直播分享。	1	2	3	4	5	6	7	8	9	10

總分：__________________

對閱讀現狀是否滿意：□滿意 □不滿意

是否想提升閱讀能力：□是 □否

每個人都擁有讀書潛能，只是沒有去挖掘

相信自己對閱讀的熱忱

我們所知的自我只是冰山的一角，而每個人都擁有尚未被開發的豐富潛能，讀書也是如此。

許多人在閱讀過程中會不斷的自我懷疑：「我真的有讀書的天賦嗎？」「讀書真的能帶給我改變嗎？」在自我懷疑和糾結猶豫浪費了很多時間。

在這裡，我可以肯定地告訴你：「每個人都擁有讀書的潛能，這是與生俱來的能力。」

閱讀不是少數人的專屬特權，而是與生俱來的基本能力。在讀書的道路上，我們要堅信，透過閱讀可以不斷自我成長，活成自己期望的樣子。

在學生時代，許多人都聽過這樣的話，「你不是讀書的料」、「你天生就不愛念書」……這些話很多時候是家長和老師說的，非常打擊孩子想要積極學習的心。

我相信，每個孩子天生都有好奇心，也有濃厚的求知欲，只是在成長的過程中，自信心不斷被打擊，慢慢就失去對學習和讀書的熱情。所以，許多人大學畢業之後，就再也不讀書，覺得已經讀夠了、覺得讀書是一件很痛苦的事情。我寫這本書，是希望能喚起更多人讀書的熱情，重新找回過去被打擊的積極、對閱讀的興趣，重塑讀書觀。

信念是非常重要的，你相信自己可以做到，你才能做到。如果連你都不相信自己可以做到，別人又怎麼會相信？只有打從內心深處相信自己擁有無限的讀書潛能，才會不斷地激發自己；另外很重要的一點是，不要設限閱讀的類型，你可以擅長閱讀任何類型的書。

真正的改變，要從「人設」開始

T．哈福．艾克（T. Harv Eker）是《有錢人想的和你不一樣》（*Secrets of the Millionaire Mind*）的作者，他分享了一個思維模式：「設定→想法→感受→行動→結果」；你的設定決定想法，你的想法會影響感受，你的感受會影響行動，你的行動會帶來結果。**如果想要改變結果，不能只是簡單地改變行動，而是要從改變「設定」開始。**

如果你的設定是「我不擅長念書」，那麼想法就是「反正也學不會，乾脆不要學了」，感受就會是「我很笨，我很沮喪」，而你的行動就是「不好好學習、自暴自棄」。結果你的成績真的不怎麼樣，也證明自己的設定就是「不是讀書的料」。

我們可以給自己正向地設定「我是一個很擅長讀書的人」，那麼你的想法就是「我非常熱愛讀書」，感受就是「讀書是一件很快樂的事情」，行動就會是「每天都要閱讀，每週閱讀一本書」。結果是你果然很擅長讀書，讀書帶來巨大的改變，使你成為一名讀書部落客，或暢銷書作家，讀書為你創造價值，閱讀成為你的優勢。

透過設定正向的讀書想法，再不斷刻意練習和持續行動，最終會取得期望的成果。這就是心理學的「自我應驗預言」（self-fulfilling prophecy），你認為自己是什麼樣的人，就是什麼樣的人，因此你對自己的認知和設定非常重要。

我高中學的是理科，大學和研究所七年學的是也是理科的專業，許多人聽到我是理科生，都覺得很驚訝，一般人想到寫作，都會先入為主地認為文組比較擅長。

這是固有的偏見，而非事實。我堅定地相信，不管是文組還是理組，寫作是人人具備的基礎和潛能。在我的寫作課程裡，第一節就是幫助大家突破偏見，相信自己擁有無限的寫作潛能。

很多人很容易被外界的看法左右，甚至因此放棄自己熱愛的事情，努力迎合他人的想法，卻忘記自己想要成為什麼樣的人。

在實踐終身閱讀的過程中，身邊可能會人說「看這些書有什麼用？」或是「又不用考試了，為什麼要讀書？」這些人不讀書，還要說風涼話阻礙別人。如果內心不夠堅定，會很容易被這些話影響，而放棄自己熱愛的事情。

別讓他人影響或決定你想要成為什麼樣的人，請堅定地朝著實現夢想和目標的方

在改變行動之前，先改變「設定」

1 設定，會決定你的想法
- 我是一個很擅長讀書的人
- 我非常熱愛讀書

2 想法，會影響你的感受
- 讀書是一件很快樂的事情

3 感受，會影響你的行動
- 每天都要閱讀
- 每週閱讀 1 本書

4 行動，會帶來結果
- 成為一個讀書部落客
- 成為一個暢銷作家

設定決定想法，想法會影響感受，感受會影響行動，行動會帶來結果。如果想要改變結果，不能只是簡單地改變行動，而是要從改變「設定」開始。

向前進。我一直相信，只要不斷練習和持續行動，就能學會任何技能。讀書也是一個技能，也是可以透過不斷練習學會的。在這本書裡，我會介紹許多實用的讀書方法，幫助你提升閱讀的能力。

TIPS

這本書到底會帶來什麼樣的改變，取決於你自己。若認真去實踐，我相信它一定會帶給你巨大的改變。如果只是買了這本書，隨便翻看幾頁，或者只是快速瀏覽而毫無行動，那麼它帶給你的改變可能並不大。

找出「想要閱讀」的內在動力

一 透過閱讀，你希望成為哪種人？

缺乏內在動力的人生，顯得無目的且無價值。大多數人的人生是由外在動機所驅動的，例如像是獎懲機制和環境因素。少數一群人有著很強的內在動力，驅動他們的是興趣愛好、自我成長等。**當你任由外在動機驅動，人生是被控制的，是別人說了算，不是自己選擇，而是被迫接受。**或者是你放棄了選擇的權利，不敢為自己的人生負起責任。

當你激發了內在動力，就是因為自己「想要」而主動選擇人生的走向。雖然成長環境對人們有很大的影響，像是原生家庭，但我們依然有選擇的權利，依然可以改變自己、改變命運，過自己想要的生活。

就像保羅．麥爾（Paul J. Meyer）說的：「你所清楚預見的，熱切渴望的，真誠追求的，全心全意爭取的，都會自然而然地實現。」**內在動力的背後，是你想要成為什麼樣的人。**我有很強的內在動力，是因為從小就決定要透過讀書改變自己的命運。在學生時代，努力唸書成為班級和學校名列前茅的人。畢業工作後，持續閱讀和學習，在工作中脫穎而出。

跨界寫作後，我仍不斷讀書和寫作，出版多本暢銷書，成為當當[9]第七屆和第八屆連續兩屆的年度影響力作家，並把閱讀和寫作的興趣愛好變成自己的事業。在多個領域中也取得成就，是因為我非常明確自己想要成為什麼類型的人。

我想要成為百分之一的少數人，成為卓越的人，成為不斷自我超越的人。期許自己不管做什麼、在哪個領域，都可以脫穎而出，成為厲害的人。正因為有這樣的內在動力，在做很多事情時根本不需要外界環境的監督，我會不斷自我突破，實現一個又一個目標。

成為一個卓越的人，讀書是每天必做的事情。每天即使再忙，也要閱讀十到十五分鐘。查理・蒙格（Charles T. Munger）說：「我所認識的聰明人，沒有一個不每天讀書的。」他還說：「巴菲特是一本長著兩條腿的書。」

TIPS

如果你也想有所成就，那麼一定要每天讀書。同時要挖掘閱讀的內在動力，讓自己保持對閱讀的熱愛和習慣。

—編注—

9／中國一家中文購物網站。

開始行動吧！制定年度閱讀計畫

許多人難以堅持閱讀習慣的原因是沒有目標，也沒有提前做計畫，總是很隨意地翻開書，有時間就讀，沒時間就不讀，甚至因為生活忙碌，而忘記要讀，因此發現一年下來根本沒讀幾本書。如果你想成為一個卓越的人，就不能讓自己隨波逐流，而是要提前規劃目標。

有效地追蹤閱讀的進度

有的人覺得自己的行動力差，所以沒有堅持閱讀和寫作。**問題不是出在行動力上，而是出在目標上。**如果沒有明確的目標，也很少事前規劃，就很難取得自己想要的成果。

沒有制定計畫習慣的人，常會「來了什麼事、就去做什麼事」，讓他人來決定自己的時間，沒有提前規劃事情的優先順序，把時間花在做一些簡單瑣碎的事情上。

還有一些人覺得制定目標既花時間又複雜，因此看到這部分內容，就想直接跳過，打算以後再看。

放心吧！規劃年度閱讀目標並不需要花太多的時間，大約二十到三十分鐘就可以，也不需要現在立刻就要確定這一年要讀的每本書。在這一節的最後，有一份「年度閱讀計畫表」，相信我，當你認真完成後會非常有成就感，不僅目標清晰、鬥志滿滿，還會想要迫不及待地去實現目標。

當有明確的目標之後，還要規劃達成目標的路徑（方法）。年度閱讀計劃表就是這條路徑，不只要制定年度目標，也要制定人生其他領域的目標；你會發現，如果事先有所規劃，人生就能按照自己的意願生活。

在閱讀領域部分，我融入了人生的八大領域：學習成長、職業發展、家庭育兒、身體健康、心靈修養、投資理財、社交人脈、休閒娛樂。在閱讀工具表裡，因為字數限制，每個主題分別用兩個字來說明。

這八個閱讀主題，剛好對應我們人生重要的八大領域，也被稱為「生命之花」。生命之花的中心是「你」，「你」要把自己放在生命之花的中心。這八大領域都是圍繞自己而展開，許多人會把工作、家庭等作為人生的主軸，卻忘記了自己才是最重要的。

大家可以參考下頁圖例，繪製自己的生命之花。為人生的八大領域打分數，並且在生命之花上用不同的顏色繪製出相應的分數。

TIPS

每個月或者每年，可以為這八大領域打分數，如果滿分是10分，請了解目前自己的狀況是幾分？而期待的理想狀態是幾分，以及如何去達成你的理想狀態。

人生八大領域，以「你」為中心

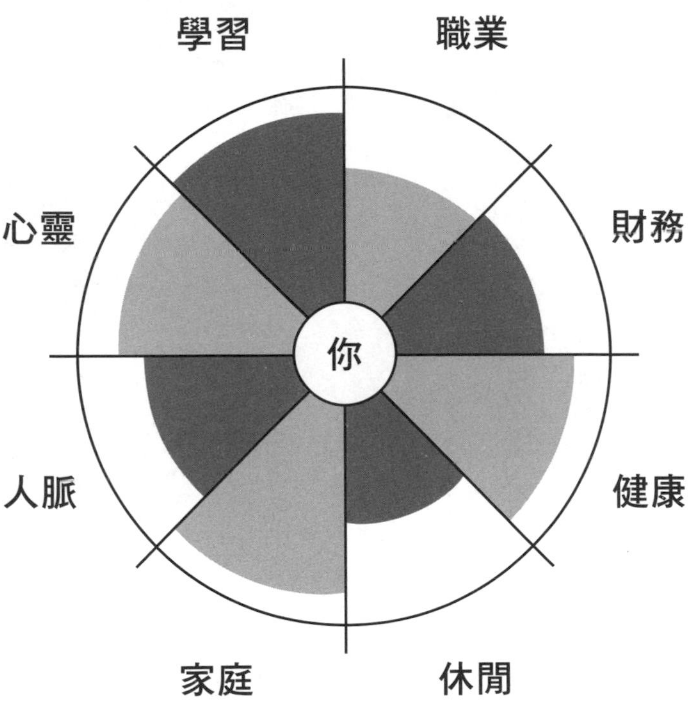

我們的人生不僅要做到事業與家庭的平衡，更要實現人生八大領域的平衡。閱讀計畫也要圍繞這八大領域來規劃，幫助我們活出幸福而平衡的人生。

接下來，我用條列的方式，一一說明如何填寫這份年度閱讀計畫表。

（1）年度閱讀數量

每年都要清楚的規劃這一年的閱讀數量。在表格裡填寫預計要閱讀的本數、聽書的數量和閱讀的頻率。我在二〇二二年的目標是：閱讀五十二本書，聽書三十本，每週閱讀一本。

（2）年度重點閱讀領域

每個人的時間和精力都是有限的，在閱讀書籍時，每年可以設定主要的閱讀領域。從八大領域中選擇三到四個作為重點，其他領域作為輔助。我在二〇二二年規劃的重點閱讀領域是學習成長、職業發展、家庭育兒和身體健康。

（3）年度閱讀目標

清楚寫出希望這一年透過閱讀達成什麼目標。二〇二二年我的閱讀目標是：「提升思維和認知，精進專業能力，成為閱讀和寫作領域的專家、內容創作的專家，活出平衡而幸福的人生」。

（4）閱讀內在動力

挖掘自己的閱讀內在動力，知道為什麼而閱讀。我的閱讀內在動力是：想要成為百分之一的少數人，成為卓越的人，成為不斷自我超越的人。

這也是我不斷學習、不斷突破舒適區，去挑戰有難度目標的原因。你的閱讀內在動力是什麼呢？

（5）規劃每週最小行動方案

拆解年度閱讀目標，規劃每週的行動方案。如果每週都能達成閱讀目標，那麼就一定能達到年度閱讀目標。

每週最小行動方案要詳細寫出每週閱讀的頻率和任務，安排在什麼時間閱讀，同時也要設定輸出的方式和目標。

我規劃每週要深度閱讀一本書，每天閱讀十五分鐘。閱讀時間安排在八點至八點十五分或者下午兩點至兩點十五分，每天儘量固定閱讀時間，遇到特殊情況可以適度調整，但一定要完成規定的十五分鐘閱讀。讀完書，可以發一條讀書朋友圈[10]，作為輸出（output）打卡。

週末安排一個小時的專注閱讀，完成每週閱讀一本書的任務。同時，也要規劃自己的輸出頻率，就像我每週六早上七點固定開直播說書，每週一在年度社群分享讀書收穫等。

（6）達成目標後獎勵自己

我們要看見和認可自己的每一個微小的進步，在設定目標時，可以寫下達成目標後要給自己的獎勵，來激發內在動力。寫下讓你怦然心動的事物，想像如果達成目標，你就能擁有這些，內心就會湧現強烈的決心。

達成目標的獎勵，可以是買衣服或喜歡的書，又或者是跟家人一起去旅行等。只要是心動的、期待的、能滿足你的願望都可以寫下來。

（7）寫下自己的承諾

寫下自我承諾，一定要百分之百達成目標。影響力的六大原則[11]，其中之一就是「承諾與一致原理」。我們很重視對他人的承諾，會盡力去兌現，對自己的承諾，也要全力以赴去實現。

（8）每週進度追蹤

很多人制定了年度計畫但沒有達成目標，是因為沒有把計畫拆解成行動步驟，並每週追蹤達成情況。透過訂出每週的最小行動方案，就可以追蹤每週的目標達成情況。

[編注]

10／中國微信提供的社群網路功能。微信使用者可以發布貼文和查看微信好友發布的貼文，在使用者選擇的好友中建立一個親密和私密的交流圈。

11／出自羅伯特．席爾迪尼（Robert B. Cialdini）的書《影響力：說服的六大武器，讓人在不知不覺中受擺佈》（*Influence: Science and Practice*）。

一年有五十二週，就是一到五十二的數字。哪一週完成了目標，就在相應的數字上打勾；如果沒有完成就打叉。年底的時候，看到表上滿滿的打勾符號，一定會非常有成就感。

如果某一週沒有完成目標，要在後面補上。一整年閱讀計畫的優勢，是可以結合每週或每月的空閒時間作調整，在一整年裡完成目標就是成功的。

如果一年閱讀五十本書，十年就可以閱讀五百本書，五十年就可以閱讀兩千五百本書。這就是時間的力量，也是日積月累的力量。

讀書和不讀書的人生是不一樣的，你的氣質裡藏著你走過的路、讀過的書。「腹有詩書氣自華」，讀書會改變我們的氣質，讓你漸漸成為自己理想中的樣子。

以下是我的二〇二二年度閱讀計畫表，大家可以作為參考，填寫自己的年度閱讀計畫表；為了確實掌握進度，我還設計了「每週閱讀記錄表」，在第二章會詳細分享該如何填寫。

| 作者填寫範例 |

年度閱讀計畫表

姓名：弘丹

年分：2022 年　**閱讀數量**：50 本　**聽書**：30 本　**頻率**：每週讀 1 本

閱讀領域：☑ 學習　☑ 職業　☑ 家庭　☑ 心靈　☑ 健康　☐理財　☐人脈　☐休閒

每週進度追蹤表（完成每週目標打 ✓）

1	2	3	4	5	6	7	8	9	10	11	12	13	14	15	16	17	18
19	20	21	22	23	24	25	26	27	28	29	30	31	32	33	34	35	36
37	38	39	40	41	42	43	44	45	46	47	48	49	50	51	52		

年度閱讀目標

透過閱讀，提升思維和認知，精進專業能力，成為閱讀和寫作領域的專家、內容創作的專家，活出平衡而幸福的人生。

閱讀內在動力

我想要成為 1%的少數人，成為卓越的人，成為不斷自我超越的人。成為一個卓越的人，讀書是必備的能力。

每週最小行動方案

1. 每週深度閱讀 1 本書，下午 14:00～14:30 閱讀 30 分鐘，全年完成 50 本書閱讀。
2. 每週六早上 7 點，開直播說書，直播 2 小時，全年完成 50 場。
3. 每週一是年度會員專屬的【週一答疑室】，每週在社群裡跟大家分享讀書收穫。
4. 完成 3 次主題閱讀，專題為：英語啟蒙、領導力、短片直播。寫主題閱讀文章，直播分享。
5. 每週聽一本書，一年聽 30 本以上的書，在日常盥洗、做家事、跑步運動時，同步聽書。

達成目標獎勵自己

1. 學習美國領導管理發展中心（LMI）領導力課程的「有效的激勵式領導」（EML）課程。
2. 跟家人一起帶孩子去北京旅行，去故宮、長城、頤和園等景點。
3. 跟團隊一起去成都辦新書簽售會，在成都團建，看大熊貓，拍美美的照片。

閱讀內在動力

我是一個使命必達的人，我一定可以百分之百完成 2022 年度閱讀計畫，實現自己的閱讀目標。

閱讀是最簡單的自我提升技巧

在職場中，養成有優勢的軟實力

在這個快速發展的時代，閱讀不僅是一種情懷，也是每個上班族不可或缺且必備的生存技能。透過不斷讀書，可以打造出實用的職場技能。

閱讀能帶來「職場安全感」，這裡不是指公司前景看好，或是職位很穩定，而是你擁有的技能，能隨時找到合適的工作。你擁有的才能，才會帶來真正的安全感。

要在職場中做出更多的成績，實現升職加薪，就必須在認知和思維上遠遠超過其他人。要比別人讀更多的書，讀更好的書，不斷刷新自己的認知，才能保持這種超越。我的年度會員社群中，有許多上班族報名，還有公司高階主管帶整個團隊一起組團來學習，因為他們想不斷自我成長，在職場中保持競爭力。

有些上班族會說自己太忙了，沒有時間看書，正因為忙，才更要不斷閱讀和學習。許多人宣稱有十幾年的工作經驗，其實是一年的工作經驗用了十幾年，成長卻幾乎是停滯的。換句話說，就是因為不讀書、不學習、不精進，才導致自己很忙。

還有一些上班族認為與其花時間讀書，不如直接去實戰。工作中的實戰當然非常重要，但很有可能，你花了好幾年實戰總結出來的經驗，別人早就寫在書裡了。如果花時間去閱讀，運用書中的方法，說不定可以少走冤枉路。

TIPS

每年掌握新技能，提升自己的專業能力。相信這樣的你，在職場中會獲得更多的機會，也更容易脫穎而出。

親子共讀，實現自我價值

許多媽媽加入我的社群學習，主要有兩個目的。第一，是自我成長的需求，第二，當孩子的好榜樣。

她們加入我的社群後，不僅激發了自己的學習熱情，也影響孩子喜歡上閱讀，培養出孩子良好的學習、讀書、寫作等習慣，甚至還有一些學員，帶著孩子一起來聽我的課程。

學員中有一些人已經是奶奶級了，她們一邊帶孫子，一邊在社群學習，不僅學習寫作，還拍短片、做直播，是新時代的奶奶。

我的課程不僅可以激發學員們的學習內在動力，還可以激發她們孩子的內在動力，讓他們從「要我學」，變成「我要學」，成為一個自主學習的孩子。

就像另一位學員 Luna 加入寫作社群，是為了自己學會寫作後，可以輔導女兒寫作文。她女兒的國文成績不太好，作文分數也不高。她加入寫作社群一年多時間，陪伴女兒讀書寫作，女兒的國文成績已經成為班級裡的前幾名。

媽媽透過讀書和學習，不只做出良好的身教，不滿足於停留在現狀止步不前，想要不斷成長和突破。當她們在不斷閱讀，其實就是在不斷自我成長，而且還可以透過讀書變現，獲得經濟上的收益，這也可以增加自我的價值感。

創作者讀書，提升作品的內容品質

作為內容創作者和自媒體經營者，我們更需要不斷閱讀。內容創作是輸出，如果只有輸出，沒有輸入（input），很快就會被掏空，所以要不斷閱讀，使輸入和輸出形成一個循環。

成為長青型的內容創作者，要做好兩件事：第一件事，就是不斷閱讀，提升自己的認知和思維；第二件事，就是不斷執行，在實踐中累積經驗，寫我所做，做我所寫。

閱讀對於寫作者來說，就像吃飯喝水一樣平常，是每天必做的事情。想要成為某個領域有份量的寫作者，就要在這個領域持續深耕，大量閱讀。

例如唐浩明先生，潛心研究曾國藩近二十年，許多本著作都是圍繞曾國藩，出版了三十本，共一千五百多萬字的《曾國藩》。唐老師一生都在做曾國藩主題的閱讀、查閱史料、分析對比、出版著作。

讓閱讀成為副業，實現讀書變現

如果閱讀既能獲取知識，又能創造價值、增加財富收入，我相信大家的讀書動力就會強很多。

實現讀書變現的例子有很多，樊登老師是典型的代表，他創辦「樊登讀書」[12]，是源於自己熱愛讀書，又觀察到一個社會問題，用「講書」的方式來解決這個社會問題，創造了自己的讀書事業。

很多平台也都有讀書產品，例如十點讀書有「十天陪你讀本書」的活動。我有許多學員都為十點讀書的專欄寫過讀書稿，像是哈哈靜寫了《心態致勝：全新成功心理學》（*Mindset：The New Psychology of Success*）和《大女生》（楊瀾，浙江文藝出版社，二〇二三年）等書籍的讀書稿，走心匠寫了《這樣讀書就夠了》（趙周，中信出版社，二〇一七年）等書籍。

讀書是一項「副業」，大部分的人在剛開始的時候，都有自己的主業，我有許多學員，都透過閱讀這項副業實現了讀書變現，比如六十四歲的樂都姐姐，不只讓自己的退休生活更加豐富，還賺到稿費的收益。二〇二一年，她幫四個平台寫了幾十篇聽書稿，累計稿費上萬元（人民幣）。

讀書也是一種「複業」，指的是善用自己的能力和技能，以工作成果來賺取利潤。好的複業是可以像複利曲線一樣不斷增長的，就像讀書帶給我們知識，而累積知識具有複利效應。

—編注—

12／樊登於二〇一三年創立付費平台「樊登讀書」，註冊會員超過三千三百萬人，並於二〇二三年二月正式更名為「帆書」。

讀書也是一項「富業」，不僅可以不斷創造財富，還可以達到「共同富裕」，當有更多人不斷閱讀，整個社會也會變得越來越好。

讀書也是一項「福業」，透過讀書修煉自己的內心，帶來更多的福氣。「弘丹寫作」的願景是影響百萬書香家庭，影響千萬人愛上寫作，活出閃閃發光的自己。

我們的人生要找到比自己的生命更大的東西，「something bigger than yourself」，推廣閱讀和推廣寫作正是如此，這也是在為自己、家庭、社會作出貢獻，也就是在不斷累積福氣。將閱讀當作副業，不僅會擁有一份副業，也是擁有了富業和福業。

我們想要成為讀書部落客，實現讀書變現，首先要成為閱讀達人。先做到每天讀書，利用閱讀來提升自己的能力，改變思維和認知，不斷自我精進。

在接下來的第二章，我會跟你分享如何突破閱讀誤區，告別低效率閱讀，成為一名讀書達人。

第 2 章

突破閱讀盲點：
告別低效率的閱讀方式

關於「閱讀」，最容易卡關的四個盲點

許多人對於「閱讀」，有各種的盲點，以下就來整理出大家最常見的四大閱讀盲點，分別一一突破！

盲點1：從頭到尾看過，才算讀完一本書

大部分的人都認為，讀書必須是從頭到尾、逐字逐句地去看，才算真正讀完一本

書。現在我要更新一個觀點，**書不只是用來「讀」的，更是拿來「用」的。**

許多人把「讀完這本書」作為閱讀目標，只要讀完這本書，目標就達成了。但是，我們讀書的目標只是「讀完」嗎？當然不是！

讀書，是為了解決問題，要書成為為我們服務的僕人，可以只讀書中的一小段，只要能解決問題，達成閱讀這本書的目標就可以。

離開學校後的閱讀，不是為了考試，不一定非要從頭到尾按照順序閱讀，可以拿起一本書隨手翻到某個章節閱讀，也可以從目錄中篩選自己感興趣的章節閱讀。**一本書可以分為多次來閱讀，也不一定只讀一遍，可以多讀幾遍。**

TIPS

可以把閱讀變成一件有趣的事，隨時有空就讀五頁書，讀完就去執行。把「讀書」變成「用書」，閱讀負擔會小很多，閱讀效果卻會好很多。

盲點2：追求速度和數量，不注重效果

有人苦於自己的閱讀速度太慢，希望有所提升，看得越快越好、越多越好。透過練習的確可以提升閱讀速度，但速度並不是關鍵，**讀書的關鍵是理解能力，能否真正理解作者表達的意思，並改變自己的想法和行動。**

有人會設定每年閱讀一百本書的目標，這個目標可以讓我們大量閱讀，養成閱讀的習慣。但閱讀不能只追求數量，而不重視品質。不能為了達到閱讀數量，囫圇吞棗、隨意翻看書籍，沒有深入理解就匆匆宣稱這本書讀完了。

有時候，慢下來，反而是一種快。我學習LMI領導力課程，上課前要把教材內容聽六遍，朗讀兩遍。一開始覺得進度好慢，當真正去聽和朗讀了，才發現，慢下來才能讀到心裡去。

盲點 3：只看專業書，不看其他書

有人只閱讀和自己專業有關的書，很少看其他類型的主題。就像工程師只看程式設計相關的專業書籍，而不太閱讀其他生活健康、人文史地的書籍。

閱讀不僅需要高度和深度，也需要廣度。投資大師查理・蒙格多次提到多元思維模型，他提倡要不斷學習眾多學科知識來形成思維模型框架，要不斷跨學科學習。

跨界閱讀，可以突破認知壁壘，提高不同方向的思考能力。騰訊公司原副總裁吳軍曾說：「跨界是打破思維的壁壘，實現不同思維之間的連接。賈伯斯就是在技術和藝術兩個領域進行跨界，因此擁有獨特的思維視角。」

人不能只有單一方向的競爭力，而要擁有多方面的競爭力。內容創作需要有閱讀能力、寫作能力、影片剪接能力、直播能力等，擁有多方面的競爭力，就更容易在激烈的競爭中脫穎而出，走得更遠。

還有一些人，提到閱讀就認為是文學類的作品，像小說、散文等，對實用類的書比較排斥，覺得這些書比較利益至上。有些學員在參加三十天聽書稿寫作訓練營後，意識到實用類書的價值，才開始閱讀這類書。我自己很喜歡閱讀實用類的書，從這類書中學到許多方法，運用在工作和生活中，提高工作效率，也讓自己變得越來越好。

TIPS

跨界閱讀往往會帶來驚喜和創意，其他領域的知識和方法可以遷移到自己的專業領域，說不定會有意想不到的收穫。

盲點4：讀完書之後，不輸出、也不行動

許多人讀完書就把書放回書架，束之高閣，沒有行動、也不加以實踐。這也是大部分的人讀了很多書，生活卻沒有太大改變的原因。**每讀完每一本書，都要產出自己的內容，從內容消費者轉為內容生產者。**

擺脫低效率的閱讀！ 4 大讀書盲點

NG 1 從頭到尾閱讀，才算讀完一本書

NG 2 看書追求速度和數量，不注重效果

NG 3 只看專業書，不看其他書

NG 4 看完書之後，沒有任何行動

讀完書之後，有一個很簡單的方式，可以輕鬆地轉變成內容生產者，就是分享自己的心得和想法。例如，我閱讀老子的《道德經》，特別喜歡其中一段話：「知人者智，自知者明；勝人者有力，自勝者強；知足者富，強行者有志；不失其所者久，死而不亡者壽。」

我把這段話配上書籍的封面照片之後發文，沒想到有許多人按讚，還有朋友留言回覆說，他立刻就下單買了這本書。你看，一個簡單的分享，就可以影響別人一起來讀書。

讀書是一件孤獨的事情，多多分享，你就會收到很多的正向回饋，會更有讀書的動力。而你分享的內容，也會為其他人帶來價值。

TIPS

做一個實踐者，而非只是閱讀者。我們閱讀每一本書，都要帶著目標去閱讀，讀完之後，都要有所行動。只要能運用書中的一個觀點、一個方法，改變自己的一個想法或者行為，看這本書就值得了。

建立看書習慣的五個創意閱讀法

突破閱讀的四大盲點後，我們就一起開啟閱讀之旅吧！接下來，跟你分享五個創意閱讀方法，用簡單輕鬆的方式，保持對閱讀的動力。

十分鐘閱讀法：輕鬆開始讀一本書

很多人覺得讀書必須抽出半個小時、一個小時的時間，但工作又很忙，很難找出這麼長時間，乾脆就不讀書了。其實，只要十分鐘就可以實現閱讀。

我們一天中不知道浪費了多少個十分鐘，隨便看支短影片，或者看個焦點新聞，十分鐘就過去了。這些浪費掉的時間，如果能有效利用，說不定一週就可以讀完一本書。以下就是如何進行十分鐘閱讀法的四個步驟。

（1）快速篩選要讀的書籍

時間只有十分鐘，因此在選書上，速度一定要快。如果你已經清楚知道今天要看的書，直接拿出來；如果還沒決定好，可以從書架上快速選擇當下最想要或最需要閱讀的書。

（2）看目錄確定閱讀頁數

拿到書後，從目錄中找出最想看的內容。一本實用類的書，小節與小節的內容有一定的獨立性，即使沒看前半部的內容，單獨看某個小節，也不太影響對內容的理解。

就像我翻開《杜拉克談高效能的5個習慣》（*The Effective Executive: The Definitive Guide to Getting the Right Things Done*），先花三十秒瀏覽目錄，當下最想要閱讀的是〈統

一安排可以自由支配的時間〉，頁碼是五十五到六十頁，那麼我就先讀這五頁的內容。

（3）設定鬧鐘，專注閱讀十分鐘

設定一個倒數計時十分鐘的鬧鐘，翻到想看的地方，專注閱讀文本的內容。以剛才的步驟（2）為例，當我翻到第五十五頁，逐字逐句閱讀，用十分鐘就可以輕鬆讀完這五頁的內容。

（4）用五分鐘寫心得和行動清單

先用十分鐘閱讀文本內容，再用五分鐘總結提煉要點，寫下自己的行動清單。

在寫回顧和心得時，可以先合上書，寫下自己印象最深的重點；再打開書，回顧和補充，回想是否有遺漏重要的地方。先回憶、再回顧，收穫會更大，最後列出行動清單，學以致用，把書裡的方法運用到生活中。

看完書後，我會花五分鐘快速在筆記本上寫下心得。以前面提到的《杜拉克談高效能的5個習慣》，我的「十分鐘閱讀心得」如下：

第一點收穫：必須預留完整的時間，時間太過零碎就等於沒有時間。

彼得・杜拉克（Peter F. Drucker）說：「時間分割成許多段，等於沒有時間。」我們要把零碎的時間整合成為完整時間，好好地處理事情。

第二點收穫：每天預留不受打擾的時間，做重要的事情。

人總是習慣逃避或拖延重要的事情，把許多時間花在不重要的事情上。我們每天要預留完整不受打擾的時間，來做重要的事。每天早上六點到八點是我不受打擾的時間，用來專注寫作。

第三點收穫：按照一個小時的專注時間，來安排自己擁有完整的時間。

我們的專注力是有限的，在書中有一位銀行總裁說自己的注意力只能維持一個半小時，時間太長，談話就沒有任何新意了。我們可以測試自己的專注時間，也可以用番茄鐘工作法（Pomodoro Technique），二十五分鐘專注，五分鐘休息的節奏來工作。

我設計了創意閱讀法的記錄表，主要讓大家在閱讀後可以記錄這本書的核心觀點和讀後行動清單。每次閱讀時或是運用本章介紹的五種創意閱讀法，都可以使用這個表格來記錄自己的心得。

在撰寫回顧時，我們也可以善用語音輸入的方式，一邊說話一邊轉化為文字，高

| 作者填寫範例 |

創意閱讀法記錄表

姓名：弘丹　日期：2021.8.16

書名：《杜拉克談高效能的 5 個習慣》　**閱讀方法：**10 分鐘閱讀法

閱讀領域

■學習　□職業　□家庭　□心靈　□健康　□理財　□人脈　□休閒

核心觀點

1. 必須預留完整的時間，時間零碎就等於沒有時間。
2. 每天預留不受打擾的時間，做重要的事情。
3. 按照自己可以專注的時間，來規劃自己的完整時間。

我的行動清單

1. 批量工作，預留完整時間，集中處理相似的工作。
2. 早起黃金時間：早上 6:00 ～ 8:30，主要用來寫作或寫課程逐字稿。
3. 每次專注時間，設置為 1 ～ 2 個小時，手機放抽屜裡排除干擾。

閱讀時間：10 分鐘　|　**書寫時間**：5 分鐘

效率地寫下心得和行動清單。

用「十分鐘閱讀法」，即使只花了十分鐘，也會有非常多的收穫；當不斷地找出時間，持續執行下去，就會發現累積起來的驚人成果和影響。

TIPS

一定要預留回顧與感想的時間，使輸入和輸出形成一個循環。對文本的思考、摘要以及行動清單，可以不只五分鐘，思考越深入、收穫會越大。

「找不同」閱讀法：累積自己的知識庫

許多人在閱讀的時候，經常是尋找跟以往相同、自己認同的內容，或是與之前閱讀過的哪本書有類似的觀點。

但我們在閱讀書籍時，更應該找尋不同。跟自己的認知不同，甚至是顛覆認知的內容，或者是一些新的概念或方法。我把這樣的閱讀方式，稱為「『找不同』閱讀法」，用尋找不同主題內容的方式來閱讀，可以擴大自己的認知範圍。

「找不同」閱讀法，是刻意找出書裡新的概念和方法、陌生的學習重點、顛覆認知的知識、不熟悉的內容等。只要覺得跟你以往的認知不同，都可以找出來認真思考。

找出這些陌生的學習重點或新的概念，寫在卡片上做成知識卡片（Knowledge Cards），這是將知識進行結構化、視覺化的一種表達方式。現在，來介紹如何運用「找不同」閱讀法。

TIPS

在「找不同」時，要特別注意陌生概念，找到這本書的關鍵概念，可以把這些關鍵概念寫到知識卡片上。閱讀每本書時，至少要收集十張知識卡片。

（1）找出書籍中的關鍵概念

每本書都會有自己的關鍵概念，有些書甚至是整本圍繞一個關鍵概念而展開的，像《驚人習慣力：做一下就好！微不足道的小習慣創造大奇蹟》（*Mini Habits: Smaller Habits, Bigger Results*）、《恆毅力》、《刻意練習》（*Peak: Secrets from the New Science of Expertise*）等，書名就是關鍵概念。「找不同」閱讀法的第一步，就是去找出這些關鍵概念。

就像《心靈地圖：追求愛和成長之路》（*The Road Less Traveled: A New Psychology of Love, Traditional Values and Spiritual Growth*）的第一章的章節名是「紀律」，這就是該章的關鍵概念。

（2）找出概念的定義和相關金句

找到關鍵概念後，我們要仔細閱讀書籍的文本內容，找出概念的定義或解釋，以及相關的案例或金句等。例如紀律的定義：所謂紀律，就是主動要求自己以積極的態度去承受痛苦，解決問題。

作者說：「紀律是解決人生問題最主要的工具，也是消除人生痛苦最主要的方法。」作者還總結紀律的四個原則：不逞一時之快、承擔責任、忠於事實、保持平衡，而這四個原則背後的原動力，就是「愛」。

（3）創建「知識卡片」

這個概念或許大家曾經聽過，《卡片盒筆記》（*How to Take Smart Notes：One Simple Technique to Boost Writing，Learning and Thinking – for Students，Academics and Nonfiction Book Writers.*）一書就是在說明並提出這種「筆記法」如何建立並運用在各個方面。

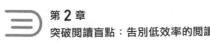

我們可以結合關鍵資訊來創建知識卡片，在卡片上寫出概念的名稱、概念的解釋、金句等；也可以在卡片的背面寫上自己的心得感想、相關的案例，以及要如何去運用這個概念。知識卡片可以手寫，也可以用電子版的方式製作。

以前面提到《心靈地圖》的第一章〈紀律〉，要理解紀律所代表的意義，是要理解紀律四原則以及背後的原動力「愛」。接下來，我們還可以給「不逞一時之快」、「承擔責任」、「忠於事實」、「保持平衡」和「愛」這五個概念，再個別創建知識卡片。

從本書中「找不同」，並且思考如何運用這些新知識。每讀每一本書都會讓我們走出舒適區，刷新自己的認知。當持續製作知識卡片，就能累積起很多新概念，寫作的時候就可以用上這些素材。

著名作家納博科夫經常採用卡片創作法，這是他一生最愛的創作利器。他會在寫好的卡片之間尋找互相的關聯性，激發靈感，把卡片像拼圖遊戲一樣拼出作品。

TIPS

如果我們每天都累積一張知識卡片，一年三百六十五天，就可以累積三百六十五張知識卡片。當累積的素材和知識卡片越來越多，寫作時就不愁沒有靈感和題材了。

萃取閱讀法：快速提煉書籍精華內容

我們在看一本書的時候，不只是閱讀內容完畢就好，而是要在讀完之後，找出內容的精華以及提出自己的見解。

萃取閱讀法指的是在閱讀過程中擷取文本的核心內容，重點萃取關鍵概念、核心觀點、內容結構、金句等這些重要的資訊。

這也是在寫書評、拆解稿和聽書稿等讀書稿件的核心技能，在寫這些文章時，要用自己的觀點敘述書籍的主要內容。以下來說明如何運用萃取閱讀法。

（1）萃取關鍵概念

在上一個「『找不同』閱讀法」裡，也有用到相同的概念，和知識卡片相結合，可以從書籍中萃取新知、再內化為自己的知識，請參考前面「（1）找出書籍中的關鍵概念」的技巧。

（2）萃取核心觀點

每本書同時會有多個核心觀點，要練習到能迅速從一本書中找出最關鍵的觀點。在書中，核心觀點的字體會加粗，或者是在段落的開頭、結尾等地方比較容易找到。

舉個例子，在前面提到「閱讀盲點」的內容，每個盲點都可以萃取出核心觀點。以盲點四為例，核心觀點便是第一段的粗體字「讀完每一本書，都要產出自己的內容，要從內容消費者轉為內容生產者」。

（3）萃取內容結構

在閱讀文本時，除了萃取核心觀點，我們還可以萃取文本的內容結構，用心智圖的方式來呈現，釐清邏輯框架，搭建出自己的知識體系。

以這一節要介紹的五個創意閱讀法為例，結構非常清晰，每個方法都用條列式來介紹如何進行的步驟，並舉例說明。以下就用心智繪圖來萃取這一節的內容結構。

以心智圖解析文章內容

5 種創意閱讀法

10 分鐘閱讀法
1. 快速篩選閱讀書籍
2. 看目錄確定閱讀頁數
3. 設鬧鐘專注閱讀 10 分鐘
4. 用 5 分鐘寫心得與行動清單

萃取閱讀法
1. 萃取關鍵概念
2. 萃取核心觀點
3. 萃取內容結構
4. 萃取金句

「找不同」閱讀法
1. 找出書籍中的關鍵概念
2. 找出概念的定義和相關金句
3. 創建知識卡片

行動閱讀法
1. 找出書中顛覆認知的知識
2. 找出書中的方法和步驟
3. 列出行動清單以及截止日期
4. 回顧與檢視是否有執行

經典閱讀法
1. 抄寫原文內容
2. 摘錄譯文和解讀
3. 寫學習心得和感想

（4）萃取書中金句

在寫文章的時候，經常會使用到金句，在閱讀時也可以萃取金句放到自己的素材庫裡。「金句」是作者思想的精練表達，萃取金句，就是在萃取作者的核心思想。例如從本書中萃取的金句可以是「讀書是普通人逆襲、突破階層僵化最低成本的一條路」、「做自己熱愛的事業，每一天都是一種饋贈」等。

運用萃取閱讀法，檢驗自己是否真正讀懂文本內容。如果能很快萃取出核心觀點，代表我們對這部分內容的理解比較透徹；如果很難提煉出核心觀點，可能是還沒讀懂這部分內容。

TIPS

萃取這些關鍵重點後，還要記錄自己的心得和行動清單。透過不斷實踐，讓學到的知識轉化為生產力。

經典閱讀法：閱讀和背誦經典作品

這種方法適用於閱讀一些經典的作品，什麼是經典？著名學者易中天的解釋是：「所謂『經典』，就是一個民族、一個時代最有意義、最有價值的著作並具永久性。『經』就是恆常經常；『典』就是模範、典範，換句話說，經典就是『恆久的模範』」。

經典書籍可以穿越時空，帶給讀者啟迪和智慧，因此我們平常要多讀一些經典書籍，把這些智慧運用到自己的工作和生活中。

如果有時間，可以每天朗讀一些經典作品，一邊朗讀，一邊寫學習心得，一邊記憶和背誦。我在二〇一五年至二〇一六年期間，每天寫《論語》學習心得，寫了兩百多篇，發布在簡書和頭條號[13]，我還舉辦過《論語》共讀活動，帶著大家一起朗讀。二〇二二年，我贈送每一位年度會員一本《論語譯注》，帶著大家一起共讀。

—編注—
13／中國今日頭條旗下的媒體與自媒體平台。

朗讀經典可以獲得許多啟發，同時也會激發我們的生命力量，讓內心更加平靜。每天花五分鐘朗讀《論語》一個章節，二十天左右就可以讀完一遍，一百天可以朗讀五遍。

經典閱讀法的步驟就比較簡單：**（1）抄寫原文的內容；（2）摘錄譯文和解讀；（3）寫學習心得和感想**。以下分享我寫過的一篇學習心得作為範例。

【原文】

曾子曰：「吾日三省吾身：為人謀而不忠乎？與朋友交而不信乎？傳不習乎？」

【傅佩榮譯文】

曾子說：「我每天好幾次這樣省察自己：為別人辦事，沒有盡心盡力嗎？與朋友來往，沒有信守承諾嗎？傳授學生道理，沒有印證練習嗎？」

【弘丹學習心得】

這句話是孔子的學生曾子說的，曾子是孔子晚年的弟子之一，是儒家學派的重要代表人物。以下是我的三個學習心得。

心得1：每日反省並記錄

多次反省，對自己的成長會有非常大的幫助。我的每日例行事項打卡中，其中一項就是寫反省日記。每天反思自己這一天的言談舉止，以及做出的決定，在書寫的同時，也是放慢自己思考的過程。

那我們要反省什麼？曾子這段話就可以給我們啟發，他從三個方面來反思：「為別人辦事，沒有盡心盡力嗎？與朋友來往，沒有信守承諾嗎？傳授學生道理，沒有印證練習嗎？」

心得2：信守承諾，從小事做起

曾子反省的「與朋友交而不信乎」，是指與朋友來往，是否有信守承諾？這一條是非常具體的行動指導：信守承諾，跟一個人的品行是息息相關的。不只是對於重要的事情要守諾，對於日常小事也是。做出承諾的時候要謹慎，不要隨意答應，答應了就要儘量做到。

「勿以惡小而為之，勿以善小而不為」，有些時候，從小事情反而能看出一個人的品行。要注意自己的一言一行，做一個知行合一的人。

心得3：寫我所做，做我所寫

曾子反省的「傳不習乎？」是指傳授學生道理，有沒有印證練習。而身為內容創作者，要能夠反思，自己寫下的內容有沒有做到？自己的行為跟寫的內容是否一致？我們所寫的內容都會影響他人，所以一定要有敬畏之心。寫作並不難，做到自己寫的事情比較難。

我們也要向曾子學習，從這三個方面每日多次反思，知行合一不斷實踐。

TIPS

在朗讀經典作品時，也可以寫下自己的學習心得，用經典作品的思想精髓，有智慧的工作和生活。

行動閱讀法：讀完之後立刻行動

閱讀會帶來改變，我們要以此為目標，讀完每一本書都要實踐其中的核心重點，不管是改變思維還是改變行為，至少都要有所改變。

我在閱讀時對自己有一個要求：看完一本書，至少要實踐書中的一個方法或改變自己的一個想法。就像閱讀《把時間當作朋友》，我學會每天記錄自己的「時間消費」情況，這個習慣已經持續了十年。

書中介紹了「事件——時間」的記錄方法，我就在印象筆記用這種方式記錄，每一天做了什麼事、花了多久時間，我都非常清楚，也能更精準預估做一件事所需的時間。

接著，就來介紹如何運用行動閱讀法。

（1）找出書中顛覆認知的知識

在閱讀一本書時，可以去找到那些反常識或者是顛覆認知的知識，然後問自己是否認同。如果認同的話，自己如何改變思維，去運用新的認知。

就像「十分鐘閱讀法」，有人認為讀書是很耗時間的，而我在書中卻提出「只要有十分鐘，就可以來讀書」，如果你認同這個觀點，就要想該如何做到，例如，吃完午飯後能不能抽出十分鐘來閱讀，這就是一個小小的行動。

（2）找出書中的方法和步驟

很多實用類的書籍，都會詳細介紹方法和步驟。以本書為例，你可以找出方法和步驟，思考該如何去實踐和活用。例如實踐「找不同」閱讀法，根據詳細的步驟，試著將一本書至少製作十張知識卡片看看。

（3）列出行動清單以及截止日期

在找出顛覆認知的知識和詳細的方法和步驟後，接下來就是列出行動清單，實際去做書中所提到的內容，例如讀者們可以從今天開始試著實踐十分鐘閱讀、開始製作知識卡片等等。在列出行動清單的時候，最好能夠加上截止日期，方便自己回頭確認這些行動最終是否落實或完成。

（4）回顧和檢查是否確實執行

行動需要追蹤、回顧和檢查，否則只是寫下了行動清單，但最後可能並沒有去行動。所以，我們要結合截止日期，來監督自己完成行動清單。

行動閱讀法是我特別想要推薦給大家的，看完一本書，一定要有所行動，就算只

運用到書中的一個方法，看這本書就是值得的。

我在每個閱讀工具表中，都設計了「我的行動清單」的欄位，就是為了敦促大家在閱讀完之後去思考和行動，可以跟前面的四種閱讀法相結合，我們可以設定一個最小的規則，每次閱讀結束都要有一個最小的行動清單。那麼，當你看完這本書時，你的「最小行動」是什麼呢？

我在《時間的格局》裡寫過：「唯有夢想值得讓你焦慮，唯有行動才能解除你的焦慮。」行動就是優勢，當持續行動時，你就可以超越百分之九十九以上的人，成為百分之一的少數人。

以上分享了五個創意閱讀的方法，並且設計了相應的工具表。這些閱讀方法很容易做到，每當讀完一本書，可以藉由填寫工具表，讓每一次的閱讀都成為確實地有效輸入。

TIPS

一年三百六十五天，每天至少閱讀十分鐘，每天實踐一個小行動，一年後就會有巨大的成長和改變。

三種日常情境下的專家級閱讀方法

很多人會抱怨說，自己太忙、沒有時間閱讀，這也是他們不讀書的原因。每個人都有不同的身分和角色，很多人白天要上班，晚上要照顧孩子。大家面臨的一個現實問題是：沒有時間讀書，怎麼辦？

根據不同的閱讀場景，我把閱讀分為三種類型，分別是：沉浸式閱讀、碎片化閱讀、隨時聽書。接下來我會詳細介紹如何活用這三種閱讀法。

沉浸式閱讀：抽出完整時間，專注閱讀

我們越忙，就越需要學習，越需要讀書，因為不讀書就會停滯。哈佛大學校長德里克・博克（Derek Bok）曾說：「如果你覺得教育太昂貴，試試看無知的代價。」讀書是最好的自我投資方式，不要用戰術上的勤奮掩蓋戰略上的懶惰。「閱讀」是一種戰略上的勤奮，當你花時間讀書，工作效率可能因此大幅提升，可以幫助我們節省很多時間。

許多人抽不出時間來讀書，是因為不夠重視這件事，沒有把它列入每日必做的事項。我每天會進行「每日例行事項」打卡，其中一項就是「每天閱讀十五分鐘」。把閱讀作為每日打卡的內容，就一定能找出時間來讀書。

每個人一天都有二十四個小時，**所謂的沒有時間去做某事，其實是我們選擇不去做。**把讀書當成每日必做的事項，有了這種轉變，無論如何都可以找到讀書的時間。把每天虛耗的光陰用來讀書，這樣閱讀時間就足夠了。

沉浸式閱讀需要一段比較完整的時間，以三十分鐘或者六十分鐘為一個單位，排除外界干擾，注意力高度集中，很容易進入心流的狀態。以下這些時間點，是我建議大家每週至少找一個時段可以進行沉浸式閱讀的時間。

早起閱讀三十至六十分鐘：如果平常很難抽出時間閱讀，就利用早上的時間。早起半個小時到一個小時，利用這段時間來深度閱讀。在閱讀的時候，一定要創造一個不受打擾的環境，記得將手機轉為靜音。我們有很多學員利用早上五點多起床閱讀，然後再去上班。

下班後閱讀三十至六十分鐘：如果早上真的沒有時間，也可以選擇下班後閱讀。我們可以特別預留出閱讀的時間，像是晚上八點或九點，讀三十至六十分鐘。每天設置鬧鐘，時間一到就開始讀。在固定的時間、固定的地點，做同樣的事情，更容易形成習慣。

週末時間閱讀一個小時以上：如果工作日很忙，也可以挑週末的時間，兩天各預留一個小時，一個月累積下來，至少也可以閱讀兩到三本書。週末閒暇的午後泡杯茶，在陽光下品讀一本書，這是詩意的生活，也是忙碌工作一週後的休閒和放鬆。也可以帶著家人一起去圖書館，徜徉在書海裡，專注地閱讀。

有一個公式是「專注力＞時間＞金錢」，專注力是最寶貴的資源，有些人連專注閱讀十分鐘都覺得困難，但是我們可以透過「離線閱讀」，訓練自己的專注力。

我在進行沉浸式閱讀時都是將手機靜音並放在抽屜裡，桌上只放一本書，專注閱讀一個小時以上。閱讀的時候，若不夠專注，一下子看手機、一下子回覆訊息，閱讀的效率不高，效果也不太好。

為自己創造沉浸式閱讀的環境，不管是閱讀還是寫作，我都是在專屬的書桌上完成的，在同一個地點，做同樣的事情，很容易就進入心流的狀態。

如果有一間屬於自己的書房是最好的，在閱讀和寫作的時候，就能不受打擾。如果沒有，也可以在家裡開闢一個讀書角落，每次進入這個讀書角落，就開始專注閱讀。

我家裡最多的東西就是書，有專門的書架，書桌上也都放滿了書。我家三歲的孩子也有自己的書架，我會經常陪他閱讀，週末有時候也會帶他去圖書館，跟孩子一起讀書，是非常棒的親子時光。

碎片化時間閱讀：隨時隨地閱讀

沉浸式閱讀對時間的要求比較高，有些時候，我們很難抽出一段完整的時間，這時候，可以在以下的這些情況合理利用零碎的時間，來進行碎片化閱讀。

通勤時間，可以在捷運、高鐵上閱讀：有些上班族的通勤時間超過半小時，滑個手機就過去了。我們可以用這段時間來閱讀，帶紙本書或是利用手機上的軟體，有電子書的話可以帶著閱讀器來閱讀，高效利用通勤時間。

儘量避開交通高峰時段，選擇更早的時間出門，在捷運沒有那麼擠的時候，可以坐在座位上讀書。早早到達公司，可以提前規劃工作內容，也可以在公司再看一下書。

等人的時間，也可以碎片化閱讀：我出門的時候，經常會帶一本書，既可以在路上看，還可以在等人的時候看。有時候對方可能會遲到，如果我們只是乾等著，不免會感到焦躁。隨身帶一本書，就可以好好利用這段時間。

查理．蒙格與人相約時，通常會提前半個小時到一個小時到，手裡拿著準備好的報紙翻閱。在飛機延誤時，他也會拿出隨身攜帶的書坐下來閱讀，他說：「我手裡只要有一本書，就不會覺得浪費時間。」

睡覺前的閱讀時間：在臥室的床頭櫃放幾本書，每次睡前就拿起書閱讀十到十五分鐘，養成習慣、成為睡前的儀式。每天睡前閱讀十到十五分鐘，長期累積下來也能讀完不少書，這就是聚沙成塔的過程。

> **TIPS**
>
> 碎片化閱讀時，我們也要排除干擾，讓自己更專注。片段式閱讀的時間一般都不太會長，可以搭配「十分鐘閱讀法」，讓閱讀效果更好。

隨時聽書：吸收一本書的精華內容

我們也可以用聽書的方式，來吸收一本書的精華內容。我在做家事和盥洗的時候，經常會聽書。

聽書可以當成看書的前奏，不確定自己是否對這本書感興趣，可以先打開這本書的聽書，再來確定是否要讀。聽書也可以節省選書的時間，聽書專欄線上的每本書，都是由平台篩選過，如果不知道怎麼選書，可以參考看看聽書平台已經上線的書籍。

目前市面上有許多已經上線的聽書平台，有的免費、有的是體驗後付費，主題方向也各有不同，各位可以挑選自己想要使用的APP。當然，現在也已經有很多說書型的優秀影音創作者，也可以選擇打開影片之後用聽的。

在聽書的時候，也不要抱著隨便聽一聽的心態，而是進一步思考如何更加高效地聽書。如果這本書聽完後收穫非常大，就可以買書進一步的深度閱讀。

去梳理自己能聽書的場景和時間，以我為例，經常是在早晚盥洗時、在跑步時、在做家事時聽書。如果通勤路上不方便看書，我就會選擇聽書。簡單來說，在做一些不費腦力的事情時，就可以來聽書。

我是「樊登讀書」的老聽眾，很喜歡「作者光臨」的單元，聽作者解讀自己的書籍。就像金惟純先生，感覺他的每一句話都講到我的心坎裡去了，聽完之後，讓我對生活有了很多新的體會。

作者說：「願力是修出來的，願力是把生活中每一個不願意轉為願意，這樣不斷地修就會有願力。」小的事情不願意做，大願也就沒有力量。如果你要發大願，就要去做平常不願意做的事情。

透過聽書的方式，可以有更多的機會跟一本好書相遇。我們自己選書，是出於目前的認知和喜好選擇，而聽書經常會遇到不熟悉的書籍，甚至遇到完全沒有想過自己會看的書。而不僅可以聽書，還可以自己寫聽書稿，具體方式我會在第五章詳細介紹。

每週記錄並追蹤閱讀情況

不只把握各種情境下閱讀，也要記錄每週的閱讀情況，包含這一週閱讀的書籍、聽書的數量、讀後心得等，填寫在「每週閱讀記錄表」裡，以下向大家說明該如何填寫表格中的內容。

（1）本週閱讀數量和書名

首先，填寫這週的閱讀數量、聽書數量、輸出數量。並且寫下本週閱讀書籍的書名、聽書的書名，記錄讀過的書。

（2）本週閱讀目標

在一週開始的時候，就要在表格裡填寫這週的閱讀目標。在一週結束時，檢查目標是否達成，如果沒有達成，分析是什麼原因所致。

（3）閱讀心得和輸出內容

這週讀完書和聽完書，有哪些收穫，在表格裡填寫自己的心得。這些感想不要邊翻書邊寫，要根據自己的記憶來填寫，寫下你能記住的，說明那些內容令你留下了深刻的印象。

同時也要回顧這一週的輸出內容，是否寫了讀書文章，是否有直播說書，是否在社群分享過等。

（4）行動清單

讀完書之後，最重要的就是有所行動，因此每週看完書都要列出行動清單，並且寫下完成行動清單的截止日期，這樣才能更好地追蹤達成情況。

完成本週的閱讀記錄表後，可以拿出下週的空白表格，先規劃下週的閱讀目標和輸出計畫。提前做好計畫，在下週全力以赴達成目標。

| 作者填寫範例 |

每週閱讀記錄表第 8 週

姓名：弘丹　2022 年 2 月 21 ～ 27

閱讀數量：2	聽書數量：1	輸出數量：3

閱讀領域

■學習　■職業　☐家庭　☐心靈　☐健康　☐理財　☐人脈　☐休閒

本週閱讀目標

1. 完成《不可能的任務》的深度閱讀，週六在視頻號直播說書 2 小時。
2. 聽完 2 本書的聽書音訊，並輸出行動清單。

閱讀書籍：《不可能的任務》	聽書書籍：《非暴力溝通》《心力》

閱讀收穫

1. 跨越不可能：動機╳學習力╳創造力╳心流。
2. 五種最強大的內在動力：好奇心、激情、使命感、自主性、掌控感。
3. 恆毅力有六種不同類型的恆毅力，對恆毅力的埋解更深入，培養自己的六種恆毅力。
4. 獲取知識的五個步驟：通讀五本書，把自己當成白癡，探索空白，不斷提問，找到敘事結構。
5. 心流體驗是包括四個階段的循環過程：掙扎、放鬆、心流和恢復。

我的行動清單

1. 在 2022 年，把《不可能的任務》這本書讀 5 遍。
2. 把《不可能的任務》分為四次直播，開直播說書，累計場觀 1 萬多人次以上。
3. 制定創作者時間表，改進每日讀書寫作的時間表，進行每日例行事項打卡。

自我認可和自我承諾

恭喜自己又完成了本週的閱讀目標，超級優秀，相信下週也一定可以百分百完成目標。

第 3 章

打好閱讀基礎：

掌握三大高效閱讀方法

你是否遇過這樣的問題：家裡堆滿了沒拆封的書，但仍持續不斷地買書，卻沒有時間把書看完；讀書總是讀到一半就讀不下去，把書扔在一邊；好不容易讀完書，過幾天就忘記了書裡的內容。

如果你遇到這些閱讀的問題，那麼就一定要認真看這個章節的內容，因為我們會詳細介紹三大閱讀方法，幫助你打好閱讀基礎，成為高效的閱讀者。

三大高效閱讀法分別是：快速閱讀法、深度閱讀法和主題閱讀法。快速閱讀法提升閱讀的「廣度」，深度閱讀法提升閱讀的「深度」，主題閱讀法提升閱讀的「高度」。

我特別設計了「高效閱讀法記錄表」附在這一章的章末，每看完一本書就填寫一張表格。這些表格就是你閱讀心得的見證和記錄，也會讓你的閱讀成長有跡可尋。

快速閱讀法：六十分鐘讀完一本書

有些人覺得快速閱讀就是「用很快的速度看書」，只追求速度，而沒有效果；其實，這是對快速閱讀的一種誤解。

快速閱讀的目的，是大致瀏覽全書，在最短的時間內掌握它的核心內容與主要架構，了解並掌握整本書的大方向和概念，同時快速摘要重點內容。

提升閱讀量的基本技巧

當拿到一本書時，要先問自己幾個問題：這本書是否值得閱讀？我為什麼要讀這本書？這本書能帶來什麼樣的收穫？

我們絕不是拿到一本書就翻開來，從頭到尾逐字逐句閱讀，而是在閱讀之前，就要花時間去判斷和思考，並回答剛才提出的問題。快速閱讀有以下三個優勢：

（1）了解一本書的全貌

透過快速閱讀，我們可以了解整本書的全貌：寫作主題、寫作風格、章節數量、重點的章節、作者的核心觀點有哪些等，立刻了解一本書的結構和框架。

（2）判斷這本書是否值得精讀

在精讀一本書之前，最好花三十到六十分鐘，先用快速閱讀的方式了解這本書的概況，判斷是否值得花時間認真閱讀。如果值得精讀，就用下一個要介紹的「深度閱讀」來認真研讀，如果不需要精讀，用快速閱讀法就能掌握書中的核心內容。

（3）提高閱讀速度和閱讀效率

透過刻意練習快速閱讀，可以提高閱讀速度，用更短的時間、更快的速度讀完一本書，還能用更加高效的方式掌握核心學習重點，讓閱讀效果更好。快速閱讀還能鍛煉專注力，因為在快速閱讀時，注意力要高度集中。專注力越強，閱讀的效率就越高。

很多人會有疑問：什麼情況下可以使用快速閱讀？以下就來簡單介紹快速閱讀的四大使用情境。

情境①選書時，要快速並大致地瀏覽全書

在挑選書籍時，可以使用快速閱讀的方式，先迅速地瀏覽全書，判斷是什麼類型、主題內容、是否要買回家讀。在實體書店買書或者在圖書館借書時，非常適合使用快速閱讀來篩選書籍，如果判斷這本書需要精讀，就再買下或借回家讀。

情境②需要閱讀簡單和熟悉主題的書籍

並不是每本書都需要逐字逐句精讀，有些書籍的內容比較簡單，就可以用快速閱讀的方式。例如《驚人習慣力》（*Mini Habits: Smaller Habits, Bigger Results*），我就是用快速閱讀的方式，掌握書籍的核心觀點和方法。

有些熟悉領域的書籍，因為有知識的儲備和累積，也可以用快速閱讀，看到熟悉的內容可以跳讀，重點閱讀陌生的、新鮮的內容。

情境③ 搭配深度閱讀和主題閱讀

快速閱讀搭配深度閱讀和主題閱讀，效果會更好。在深度閱讀一本書前，先用三十分鐘快速閱讀本書，了解內容的概況，再設定閱讀的目標，找出這本書的重點章節，合理安排閱讀的進度。判斷這本書的類型，是實用類、歷史類、哲學類書籍還是小說類書籍等。

在主題閱讀時，更需要快速閱讀；而在篩選書籍時，要先快速閱讀的方式，來選擇適合自己的書。遇到同一主題的幾本書籍時，可以用快速閱讀的方式來比較內容，這時也需要用到快速閱讀的技巧。

情境④ 回顧或複習之前看過的書

看完一本書之後，要時常複習，而不是就放在書架上塵封起來，如同孔子說的：「溫故而知新，可以為師矣。」在回顧或者複習時，因為內容已經看過一次，有熟悉度了，就可以用快速閱讀的方式再一次複習。

TIPS

快速閱讀可以激發閱讀的好奇心和熱情，因為讀書最難的是拿起書開始讀。快速閱讀還能讓閱讀門檻大幅下降，即使只有三十分鐘，也可以讀完一本書，也就更願意看書了。

六十分鐘內，不僅讀完、更能讀懂一本書

接下來，我們詳細的介紹快速閱讀的步驟。我把快速閱讀分為四個步驟，大致需要六十分鐘的時間。

第一步，五分鐘包裝閱讀；第二步，五分鐘掃視閱讀；第三步，三十分鐘略讀；

第四步，二十分鐘寫讀書收穫。

接下來就詳細介紹如何進行快速閱讀的步驟，可以用「高效閱讀法記錄表」，一邊閱讀一邊填寫表格，幫助你更好地達成閱讀目標。

第一步：五分鐘包裝閱讀法

拿到一本書之後，要先看這本書的包裝。有人會質疑為什麼還要多花這五分鐘？還不如直接開始看書。在這五分鐘內，可以讓我們快速了解這本書的概況，設定明確的閱讀目的。

①閱讀封面、封底、書腰等文案

重點看封面、封底、書腰、折封口等文案內容，快速了解這本書的概況，判斷這本書的類型，也了解作者的個人簡介。

封面最重要的是書名，書名往往會呈現出書籍的核心主題。例如書名《驚人習慣力》，其實就是書中最核心的一個關鍵字，整本書都是圍繞這個主題展開的。

再翻到書的背面，看看封底的內容。有些書的封底會有推薦文，從推薦文中可以了解這本書的優勢，從新的視角來看這本書；而有些書的封底則會寫上簡介或者內容概述，可以幫助我們快速地了解這本書。

接著，打開折口看看作者簡介。一般書籍的折口大多是作者簡介和關於書籍的重要文案，可以了解作者的情況和書籍的核心內容。

② 閱讀前言和自序

一本書在正文開始之前，會有前言、自序或者推薦序，但不一定三個都有。作者或者推薦人，會詳細介紹這本書的寫作背景、核心重點以及為什麼要閱讀這本書。

再以《驚人習慣力》為例，作者在自序裡詳細介紹迷你習慣帶給自己的改變，也重點介紹了這本書的七個章節，包含每一章具體的內容和核心的要點。只要看完自序，就可以提前了解每個章節的重點。

③ 重點閱讀目錄

目錄是正文內容的提示和索引，相當於這本書的地圖，事先提示各章節介紹的內容。透過目錄，提前了解全書的關鍵字以及要探討的問題。目錄越詳細，對於書籍內容的提示線索就越多。

透過目錄，可以了解這本書會分為幾個章節，每個章節的主要標題、次要標題、小標、細節等，可以大致了解這本書的重點內容，以及各個章節的具體安排。我們可以從目錄推測出作者的重點有哪些，而哪些章節是最重要必讀的。

每個人看一本書的目標不同，閱讀起點也會不一樣，而先讀目錄還能幫助我們在開始閱讀全文之前制定閱讀目標和閱讀路徑。

再以《驚人習慣力》一書為例，我想要重點閱讀的章節是第一、四、六章。這幾個章節，就可以實現我閱讀這本書的目標：了解什麼是「迷你習慣」、具體步驟和操作方法，以及運用迷你習慣的方式來培養一些好習慣。

經由五分鐘的「包裝閱讀法」，可以清晰地了解閱讀目的、作者簡介以及要重點閱讀的章節。

第二步：五分鐘掃視閱讀法

花五分鐘完成「包裝閱讀」之後，我們對這本書的整體概況和核心內容有一定的了解。接下來，是不是就可以開始逐字逐句地閱讀正文了呢？

且慢！在開始閱讀之前，再花五分鐘用「兩秒一頁」的速度，視線快速地掃過書頁，若一本書大有兩、三百頁，那麼就需要六到十分鐘的時間掃視。目的是快速了解這本書具體在講什麼，哪些內容是你感興趣的，有哪些部分是你想要重點閱讀的。

重點掃視標題、粗體字、配圖插畫和表格等內容，配合前面第一步的包裝閱讀法，加深自己對於感興趣的章節和關鍵字的印象。

以本書來說，在掃視的時候可以重點看加粗的標題、金句、核心方法等醒目的內容；看到自己特別有感觸、想要重點閱讀的段落，可以折頁、畫線、貼便利貼等，核心的關鍵字、新的概念，則可以圈出來，在略讀時，可以重點閱讀這些內容。

經由掃視，可以先了解哪些內容想要重點閱讀、哪些部分可跳過、哪些內容暫時不用讀，可以先作好規劃和取捨。掃視翻閱整本書後，當我們在開始閱讀本文時，就知道自己目前進展到哪一步、讀了多少、還剩幾章、後面大概在講什麼內容。

掃視的時候，加粗的章節名、加粗的字體、配圖插畫等內容，就會印入腦海；在精讀的時候，我們會有似曾相識的感覺，大腦更容易接受熟悉的內容。

TIPS

透過五分鐘的掃視閱讀，也能大致了解作者的寫作風格。例如，有些書的案例比較多，有些是步驟和方法比較多，有些書的論述比較多，有些則是配圖和插畫比較多。

第三步：三十分鐘略讀重點法

完成五分鐘包裝閱讀和五分鐘掃視閱讀後，接下來就是略讀重點內容。

略讀，是用比較快的速度，以閱讀目標為中心，選擇性地粗讀。我們可以把整本書讀完，也可以選擇感興趣的部分閱讀，或者選擇能解決自己問題的部分來閱讀。

略讀時要帶著問題，更有針對性地從書中尋找答案，以達成閱讀目的、解決問題。

我提供自己在略讀時的問題清單，給大家作為參考：

（1）為了達成我的閱讀目標，我想要重點閱讀哪幾個章節的內容？

（2）這本書的核心學習重點分為哪幾個部分，內容分別是什麼？
（3）這本書有哪些新的概念和關鍵字，至少選出十二個。
（4）看完這本書，我的三個收穫是什麼？
（5）這本書對我有什麼幫助，有哪些內容我是馬上可以運用的？

除了要帶著問題，略讀時也要尋找書中的主旨句、關鍵字和核心方法。在略讀具體章節時，可以重點閱讀粗體字、段落的開頭和結尾等包含主旨句的部分，尋找書籍的核心關鍵字、新的概念、新的方法等，先看內容的重點；而書裡的案例和故事，可以先跳過不讀。

不用擔心沒有把整本書一口氣讀完，可以分多次閱讀。每次閱讀的目標不同，著重點也有所不同。用快速閱讀法，可以透視一本書的框架。完成快速閱讀後，如果覺得這本書值得深度閱讀，就可以進行精讀。

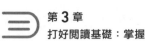

第四步：二十分鐘寫讀書心得

經由前面三個步驟，我們已經完成了一本書的快速閱讀。最後一個步驟非常重要，看完之後一定要輸出，來檢驗閱讀效果。

用二十分鐘回顧心得和寫行動清單，對剛才的閱讀過程，作一個總結和梳理，可以輸出這本書的心智圖、寫一篇讀後感、寫一篇書評或者語音輸出收穫。**一定要有輸出的環節，把輸入和輸出形成一個循環，閱讀效果會更好。**

完成快速閱讀後，記得要填寫「高效閱讀記錄表」，並確實執行自己寫下來的行動清單，接下來就一一列出表格中的項目，說明填寫的方法和目的。

①閱讀目的／解決什麼問題

在讀完每本書之後，都要填寫閱讀目的以及想要解決什麼問題。在快速閱讀的過程中，越專注就越能達成自己的目的。

②作者簡介

在書籍的折封口通常都有作者簡介，可以摘要介紹的關鍵資訊，填寫到表格裡。

用 60 分鐘，快速讀懂一本書

STEP 1

5 分鐘包裝閱讀

1. 閱讀封面、封底、書腰
2. 閱讀前言和自序
3. 重點閱讀目錄

STEP 2

5 分鐘掃視閱讀

1. 用 2 秒一頁的速度掃視全書
2. 掃視加粗文字、配圖、插畫等

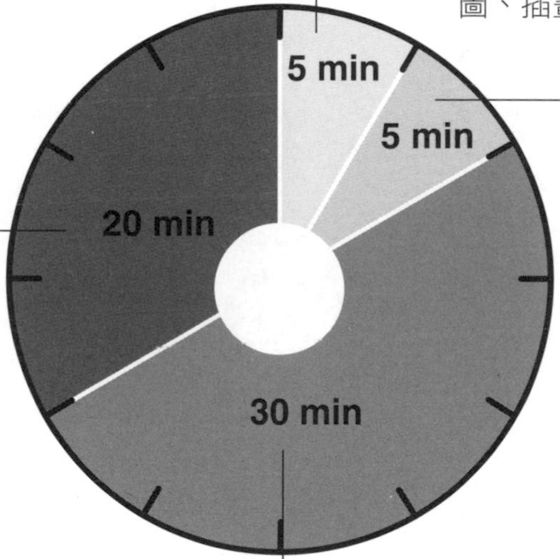

STEP 4

20 分鐘寫讀書心得

1. 輸出回顧心得和行動清單
2. 完成高效閱讀記錄表

STEP 3

30 分鐘略讀

1. 帶著問題閱讀，達成閱讀目的
2. 略讀時尋找主旨句、關鍵詞和核心方法

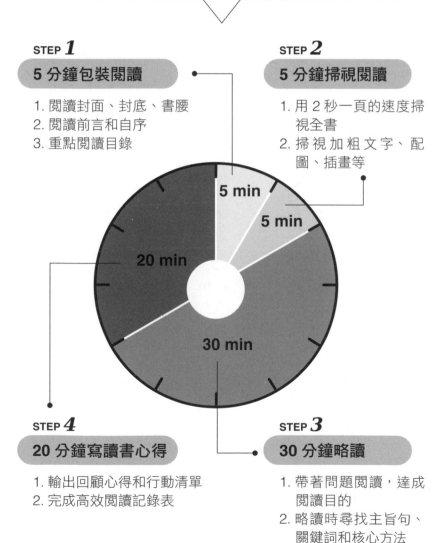

③ 填寫重點閱讀章節

從目錄中確定這次想要快速閱讀哪些章節的重點內容。

④ 十二個關鍵字

在快速閱讀的時候，也要找出書的核心關鍵字、陌生概念等，有許多關鍵字可以在目錄中找到。一本書請至少找出十二個關鍵字。

⑤ 核心觀點

看完這本書後，總結幾個核心的觀點。這些核心觀點不一定是書的原文，你可以用自己的角度來描述。

⑥ 心得和行動清單

看完每本書，都要填寫心得和行動清單，並試試看書中的方法。例如看完《驚人習慣力》之後，開始養成每天運動五分鐘的迷你習慣。

每當讀完一本書，利用這個表格記錄書中的核心內容和自己的心得後，再經常回顧這些記錄，就等於是在複習自己讀過的書，非常高效，而且還不容易忘記書的重點內容。

｜作者填寫範例｜

高效閱讀法記錄表

姓名：弘丹　2022 年 2 月 21 ～ 27

閱讀數量：快速閱讀法 ┃ **聽書數量**：52 分鐘 ┃ **書名**：《驚人習慣力》

閱讀領域

■學習　☐職業　☐家庭　☐心靈　☐健康　☐理財　☐人脈　☐休閒

閱讀目的／解決什麼問題

1. 了解什麼是迷你習慣，以及如何運用迷你習慣來培養習慣。
2. 掌握迷你習慣的具體步驟以及操作方法。
3. 用迷你習慣的方式培養運動的習慣。

作者簡介

史蒂芬·蓋斯（Stephen Guise）是個天生的懶蟲，為了改變這一點，他研究各種習慣養成策略。每天至少做 1 個伏地挺身，是他養成的第一個迷你習慣，兩年後擁有夢想中的體格，寫作的文章是過去的 4 倍，讀的書是過去的 10 倍，迷你習慣成就了他。

重點閱讀章節

第一章 做一下就好的迷你習慣 ／ 第四章 微不足道的策略，讓你很難放棄 ／ 第六章 八步驟培養好習慣，簡單到爆！

【關鍵字】：迷你習慣 自我管理 微步驟 大腦工作原理 前額皮層 激發動力 熱情遞減法則 意志力策略 微習慣策略 自我效能感 回報機制 記錄與追蹤

核心觀點

1. 迷你習慣是一種非常微小的積極行為，你需要每天強迫自己完成它。
2. 迷你習慣是基於「微步驟」。那些「小得不可思議的一小步」，例如，每天做 1 個仰臥起坐，每天寫 50 字等。
3. 迷你習慣 + 意志力是必勝組合，迷你習慣幾乎不會消耗意志力，自我損耗極少。
4. 用迷你習慣徹底改變自己的八個步驟，以及迷你習慣策略的八大原則。

收穫和行動清單

1. 清晰了解迷你習慣的定義、步驟以及原則。
2. 每年帶領年度學員共讀《驚人習慣力》，用迷你習慣的方式，養成一些好習慣。
3. 養成每天運動 5 分鐘、閱讀 5 頁書、寫作 50 字的迷你習慣。

自我認可和自我承諾

恭喜自己又深度讀完一本書，超級優秀，我要把我的心得分享給更多人。

快速閱讀法不只可以用來閱讀書籍，平時在閱讀郵件、資料等內容時，也可以用這樣的方式，提煉內容的主要架構，或者確定閱讀時的優先順序，我們的時間有限，要先看重要的內容，再看次要的內容。

提升閱讀速度和理解力，讀得又快又好

閱讀是非常重要的一項技能，我們每天都在閱讀，這也是輸入資訊的重要方式。如果閱讀速度慢，會影響工作效率；閱讀理解能力差，也會影響工作效果。以下為大家介紹三個提升閱讀速度的方法，多多練習，一定可以感受到變化。

方法一：大量閱讀，增加知識儲備

如果想要提升閱讀速度，首先要多讀書，進行大量的閱讀。閱讀的數量越多，你的閱讀速度也會大幅提升。在大量閱讀的過程中，從易到難，先讀簡單的、感興趣的書籍，再逐步提升閱讀難度。如果一開始就閱讀困難的書，會產生沮喪的情緒，很容易放棄。

有很多人的閱讀速度，是從讀小說鍛煉出來的。小說有情節、有懸念，能吸引讀者迫不及待地、連續地閱讀，很多讀者可以用一、兩個小時就讀完一本小說。

方法二：刻意練習，改掉壞習慣

閱讀速度也是可以刻意練習的，改掉一些閱讀時的壞習慣，刻意鍛煉，你的速度就會越來越快，而減少默讀的習慣就是其中之一。

如果閱讀時用嘴巴默讀，會受到默讀的影響，讀得比較慢。可以把手指放到自己的嘴巴上，檢測閱讀時嘴唇是否動？如果嘴唇動了，代表你下意識地在用嘴巴默讀。

想提升閱讀速度，一定要改掉默讀的習慣。每次閱讀把手指放到嘴唇上，監測自己的默讀情況，讓嘴唇保持不動。一開始可能會不習慣，要多練習幾遍。

除了改掉降低閱讀速度的壞習慣之外，也可以閱讀相關的書籍，例如克里斯迪安・格綠寧（Christian Gruning）的《快速閱讀》（*Visual reading*）。

方法三：提升理解力，不同的內容用不同的速度閱讀

簡單的內容加快速度，複雜的內容則放慢速度。大師級的、經典的書籍，理解起

來有一定的難度，就可以放慢閱讀速度，深度思考，直到真正讀懂。

有一些內容，你已經完全理解了，或者在其他書裡看過類似的觀點，就可以用比較快的速度閱讀。書中無關緊要的內容，也可以快速閱讀，而同一本書裡，若有不同難度的內容，也需要用不同的速度來閱讀。

深度閱讀法：檢視自己是否真正讀懂一本書

許多人在閱讀的時候，會有記不住內容、看完就忘的問題，而深度閱讀法可以幫助你解決這個困擾。

深度閱讀法是針對書籍進行文本細讀，真正讀懂和讀透一本書，將其知識內化為自己的知識。在介紹步驟前，先跟大家介紹一個非常高效的方法——費曼學習法（the Feynman technique）。

可以簡單說給別人聽，就是真的懂了

費曼學習法由諾貝爾物理學獎得主理查・費曼（Richard P. Feynman）提出，是一種「以教代學」的學習方式，檢視你是否真正掌握了一個知識，是否能用簡單易懂的語言，把複雜深奧的知識講解清楚。

費曼學習法能提高你對知識的吸收效率，真正理解並運用；「輸出反推輸入，以教代學」，是費曼學習法的核心理念，也是我閱讀的核心方法。

我一直沒有刻意去做閱讀這件事，但每年都能讀不少書。第一是用輸出反推輸入的方式，因為若要保持長期大量地寫作，就必須不斷地輸入。第二是以教代學，從二〇一六年做付費的線上社群到現在，我每年分享讀書與寫作一百多場講座，總共累計有一千多場，而大量的分享和講課，必須有大量的輸入。

如果你覺得保持閱讀習慣很難，建議可從寫作開始，當你養成寫作的習慣，絕對能培養閱讀的習慣。跟寫作相比，閱讀簡直是一種享受！接下來，先介紹費曼學習法的步驟該如何執行。

第一步，確定學習目標。選擇你要學習的主題，拿出一張白紙，把主題的名稱寫在白紙的最上方。

第二步，教學。想像你是一位老師，現在要把這個主題教授給一個完全不懂的新生聽。

第三步，當你遇到疑惑或者問題，**反查相應的參考資料或者教程**，直到真正弄懂為止。

第四步，簡化描述或用比喻、簡單直白的語言來解釋主題，讓別人更容易理解。

這就是費曼學習法的核心步驟，在學習一個新知識時，想像自己要把這個知識教給別人時，該如何說明。在閱讀的時候，一定要反推輸出，以教代學、提升學習的吸收率。

深度閱讀法就是結合費曼學習法的閱讀方式，接下來讓我們一起了解該如何進行深度閱讀。

練習用自己的角度介紹書中的內容

深度閱讀是讀書變現的基礎，不管是寫讀書類的文章，還是做短影片、直播說書，先決條件都是先把書讀懂。深度閱讀的五個步驟依序如下，一步步來看該如何進行吧！

第一步：設定深度閱讀的目標和提出問題

前面已經提過，每當閱讀每一本書，都要去思考閱讀的目標是什麼，並且提出相應的問題、帶著問題去閱讀。而這也是費曼學習法的核心，要確定學習目標以及要怎麼教別人。

在深度閱讀前，建議大家先用上一節快速閱讀的方式，把這本書概覽一遍，對整本書有全面的了解，梳理書籍的框架和結構，列出重要的章節。完成快速閱讀後，接著是思考和提問。例如這本書的中心思想是什麼？作者要解決的問題是什麼？這本書的核心內容有哪些？在哪幾個章節？這本書的論點、依據是什麼？

我們在深度閱讀時，要找到這本書的使命，找到作者要解決的問題，並找到解決

方案。我每次讀書都是帶著目標的，因為讀完書後要直播說書，「輸出反推輸入」，這時候，我就必須思考閱讀目標是什麼（要輸出什麼內容）。**大家在深度閱讀的時候，也可以定出一個輸出目標**，例如讀完書後，要寫一篇讀後感文章或書評文章，甚至做一場直播等。

以下是我總結深度閱讀一本書時會提出的問題，運用這些問題深度閱讀，去書裡尋找答案，這樣在閱讀的時候也會更加專注。

1. 這本書是什麼類型的？
2. 作者寫這本書，是要解決什麼問題？
3. 這本書的作者是誰，有哪些成就？
4. 如何用一句話概括本書的核心內容？
5. 本書有幾個核心學習重點？分別是什麼？
6. 本書講了哪些陌生的學習重點，是之前所不知道的？
7. 這本書挑戰了哪些以往已知的常識，跟之前的認知是不同的？

第二步：逐字逐句，深度閱讀文本內容

接下來，就可以逐字逐句地閱讀這本書，在深度閱讀的過程，我們會和作者進行一場思想上的交鋒，一邊閱讀、一邊提問、一邊在書中尋找答案。這個過程，我們要尋找書中的關鍵字、陌生的知識，找出書籍的主旨句、作者的核心觀點，並且找到相應的論據和案例來證明核心觀點。

可以一邊閱讀一邊做筆記，畫出主旨句、核心概念、核心方法等。重點內容還可以折頁，在讀完書進行到輸出的環節時，就可以立即找到這些素材。

第三步：輸出心智圖或讀書心得

逐字逐句讀完後，我們要透過「輸出」來檢視讀書的效果。許多時候覺得讀完書的收穫很大，但一下筆，卻發現什麼都不記得了，或者發現自己的理解並沒有那麼透徹。

透過繪製心智圖等方式，反推去梳理這本書的邏輯，檢視自己對這本書的理解程度。同時，也要寫出自己的心得和行動清單；讀完每本書之後，至少要寫三點心得和三個行動清單。

第四步：寫下心得、書評或直播說書，傳授他人

費曼學習法的第二步就是教學，要把自己學到的教授他人，尤其是完全沒有看過這本書的人。而傳遞內容給他人有不同的形式，可以寫文章也可以直播說書。

寫文章包含讀後感、拆解稿、聽書稿等，透過文字的方式教授他人。也可以用直播、講課、聊天等講解的方式，教會他人。樊登老師在錄製說書影片之前，會先說一遍給他的兒子聽，而我們看完一本書，也可以先講給孩子或朋友聽。

當你意識到自己看完書就要去教別人時，看書的效率就會更高，對書籍內容的理解會更深入，記憶也會更深刻。

第五步：回顧檢查和查補缺漏

費曼學習法的第三步，是「當遇到疑惑或者問題時，查相應的參考資料或者教程，直到真正弄懂為止」。當你在寫書籍相關的文章，或者是直播說書的時候，遇到疑惑、理解不透徹或者講不清楚的地方，就可以重新回到書中，回顧查閱和查補漏缺，直到真正讀懂這本書。

然後，你可以用簡潔清晰的描述，來概括這本書的核心內容，就像費曼學習法的第四步「用簡單直白的語言來解釋，讓別人更容易理解」。

最後一步，我們也要批判式閱讀，是否贊同作者的觀點？哪些觀點贊同、哪些不贊同？也要回溯第一步設定的閱讀目標，看看是否達成。

深度閱讀一本書時，至少要閱讀三遍。第一遍快速閱讀，先對這本書有大致的了解，第二遍則是逐字逐句閱讀，第三遍是快速翻閱、查補漏缺，整體回顧書籍內容。

立刻看到重點的五個精讀技巧

深度閱讀的過程，第二步的「逐字逐句深度閱讀文本內容」是關鍵，因此我重點說明如何運用「文本細讀法」逐字逐句閱讀。

文本細讀，就是對書籍文本內容進行逐字逐句的認真閱讀，深度理解文本的內容，並內化為自己的知識。**以下是細讀文本時的五個技巧，可以在深度閱讀時有效地提升**

對文本的理解。

①梳理文本內容的邏輯框架或心智圖，理解內容的佈局。
②找出各個段落的主旨句，通常在段落的開頭或者結尾。
③找出新的概念並加以理解，提煉書籍裡的關鍵重點。
④找出作者用什麼樣的案例或論據來證明觀點。
⑤找出作者在書中所介紹新方法的詳細步驟。

經由這五個技巧，可以提升對文本內容的理解效率，真正讀懂內容。我們以本書的第三章內容作為深度閱讀的文本，來詳細講解如何進行。

①畫出文本邏輯框架的心智圖

在進行深度閱讀時，最重要的是要梳理文本內容的邏輯框架，把握核心重點。我喜歡用心智圖的方式來進行，通常會用「幕布」[14]這個APP工具來繪製。

—編注—
14／是一款清單式的筆記工具APP。

繪製文本內容的心智圖時，可以把整本書的知識結構用一張心智圖呈現，也可以每個章節做一張心智圖，或每個小節就做一張心智圖。

我以自己的另一本著作《精進寫作》為例，由於目錄寫得非常詳細，概括了全書的核心內容，因此直接以目錄來繪製這本書的心智圖。

我也比較喜歡一個章節用一張心智圖呈現，能寫得比較詳細。建議大家可以用心智圖的方式，梳理本書每個章節的邏輯框架和核心學習重點，就會對這本書有更深的理解。

我以第三章的內容作示範，用心智圖的方式進行梳理，大家也可以試試看幫這本書的每個章節做一張心智圖。

② 找出這段內容的主旨句

有些書為了方便讀者理解，作者會把核心的內容提煉出來，用小標題、加粗等形式放在顯目的地方，說明這段內容的重點。我的這本書也是如此，重點的內容都用小標題加粗的方式進行標註，在閱讀的時候一目了然。

所謂主旨句，就是能概括這段話的中心思想的句子。尋找主旨句時，可以先從段落的小標題開始尋找，然後在段落的開頭和結尾尋找主旨句。很多時候，作者會把主

精進寫作

1. 重新認識寫作

- 寫作價值：寫作帶給人生的六大長期價值
- 寫作行動：持續行動比寫作技巧更重要
- 寫作目的：釐清寫作目的，規劃成長路徑

2. 突破寫作障礙

- 寫作誤區：新手作者，如何突破寫作的四大誤區
- 創意寫作：六大方法，從害怕寫做到提筆就寫
- 語音寫作：會說話就會寫作，大幅提升寫作速度
- 寫作時間：如何從忙碌生活中抽出時間寫作
- 寫作反饋：讀者正向反饋，提高寫作積極性

3. 打好寫作基礎

- 寫作定位：如何找到自己擅長且讀者愛看的寫作方向
- 選題能力：策畫文章選題，創作讀者愛看的內容
- 素材收集：提升搜索和整理能力，快速找到素材

4. 寫出爆紅文章

- 寫作結構：掌握四種結構，寫出邏輯清晰的文章
- 爆紅標題：掌握十種標題的寫作方法，提高文章點擊率
- 精彩開頭：掌握八種開頭方法，吸引讀者注意力
- 精彩結尾：掌握六種結尾方法，吸引讀者分享轉發

5. 改出優質文章

- 修改心態：把寫和修改分開，關閉頭腦中的批評家角色
- 修改方法：修改寫作五步法，打造優秀文章
- 案例講解：用真實案例，一一教你修改寫作
- 拆解文章：拆解爆紅文，快速提升寫作能力

6. 堅持內容為王

- 故事寫作：如何寫出一個有吸引力的故事
- 金句創作：如何創作出讓人有共鳴的金句
- 乾貨文寫作：五個步驟創作出有價值的內容
- 寫作瓶頸：終身學習，突破寫作瓶頸，持續創作優質文章

7. 寫作變現

- 寫作變現：寫作帶來的直接與間接的變現
- 投稿技巧：如何尋找合適的投稿平台，高效投稿
- 多家平台經營：累積各個平台的個人影響力
- 個人品牌：用寫作打造個人品牌，實現持續變現
- 出版書籍：如何出版自己的第一本書

旨句放在開頭，或者是放在結尾，總結概括這段落的重點。

我們以「文本細讀法」這一小節的內容為例，來說明如何來尋找內容的主旨句。首先，這段內容的加粗小標題是**「立刻看到重點的五個精讀技巧」**，這是這段文字的中心思想，接著，你可以找到加粗的主旨句：**「以下是細讀文本的五個技巧，可以在深度閱讀時有效地提升對文本的理解」**，這是這段文字的主旨句。

很多書籍都是用類似上述的寫作方式，我們在做心智圖時，也需要用到提煉主旨句和找出關鍵資訊的能力。

③找出新的概念，並且加以解釋

在第二章創意閱讀法的「『找不同』閱讀法」中，我詳細介紹了要注意陌生的概念並找到關鍵的概念。在進行深度閱讀時，也要著重在這段文本的陌生概念，並且把關鍵詞圈出來，細細品味關鍵字，解釋這些關鍵概念。

以「深度閱讀法」這個小節的內容為例，你能找出哪些新概念呢？像是「深度閱讀法」、「費曼學習法」、「文本細讀」等，可以將閱讀時發現的新概念製作成知識卡片，未來複習和寫文章的時候可以用到。

高效閱讀法

快速閱讀

- 提升閱讀量
  - 了解一本書的全貌
  - 判斷這本書是否值得精讀
  - 提高閱讀速度和閱讀效率
- 四大使用場景
  - 選書時快速閱讀概覽全書
  - 快速閱讀簡單和熟悉書籍
  - 搭配深度閱讀和主題閱讀
  - 回顧或複習時快速閱讀
- 60 分鐘讀懂一本書
  - 5 分鐘包裝閱讀法
  - 5 分鐘掃視閱讀法
  - 30 分鐘略讀法
  - 20 分鐘書寫讀書心得
- 提升閱讀速度和理解力
  - 大量閱讀，增加知識儲備
  - 刻意練習閱讀速度
  - 提升理解力，不同內容用不同速度

深度閱讀

- 費曼學習法，以教代學
  - 確定學習目標，選擇要學習的主題
  - 教學，教授完全不懂的人
  - 遇到疑惑或問題，回去查閱資料
  - 用簡單直白的語言解釋概念
- 用自己的看法說書
  - 設定閱讀目標和提出問題
  - 逐字逐句，深度閱讀文本內容
  - 輸出心智圖和讀書收穫
  - 寫讀書類文章或直播講書，教授他人
  - 回顧檢查和查補缺漏
- 細讀文本的技巧
  - 梳理文本邏輯框架和心智圖
  - 找出內容的主旨句
  - 找出新的概念解釋關鍵重點
  - 找出典型案例或論據
  - 找出方法和詳細步驟

主題閱讀

- 主題閱讀三大優勢
  - 快速入門某個領域
  - 搭建知識體系
  - 進行自學，從小白到專家
- 主題閱讀六階段
  - 確定主題和閱讀目標
  - 確定主題書單
  - 用快速閱讀法通讀書單中的書籍
  - 深度閱讀重點書籍和重點章節
  - 輸出單篇文章或一系列主題文章
  - 行動執行和主題分享教授他人
- 選書的標準
  - 評分高
  - 經典書籍、多次再版、名著等
  - 暢銷書榜單的書籍

④作者用什麼樣的案例或論據來證明觀點

在寫文章的時候，我們會提煉出自己的核心觀點，每一個核心觀點，都需要用具體的例子或論據來證明。

在《與成功有約：高效能人士的七個習慣》（*The 7 Habits of Highly Effective People*）一書中，作者以維克多・弗蘭克（Viktor E. Frankl）的例子來證明自己的觀點：「刺激和回應之間有選擇的自由」，不管處於多麼糟糕的環境中，我們都有選擇的自由。

在前文介紹費曼學習法時，我舉了自己的例子，如何透過「輸出反推輸入，以教代學」的方式來提升閱讀和寫作能力。讓大家看到費曼學習法是有效的，如果大家學會如何運用，也能有非常多的收穫。

⑤作者介紹了一種新的方法，詳細步驟是什麼

實用類的書籍會詳細介紹方法以及操作步驟，在深度閱讀時，要去提煉這些方法並去執行，內化為自己的行動步驟。

在這章介紹的快速閱讀、深度閱讀和主題閱讀，我都提出了詳細的步驟，並舉案例來講解如何執行。建議大家一定要進行實際的練習，才能把這些方法變成你的閱讀技能。

主題閱讀法：打造自己專屬的主題知識庫

有些人是隨機閱讀，今天讀這個領域的書，明天又讀另一個領域；看到這個名人推薦的書，趕快下單，看到另一個名人的推薦，再下另一張單。買了很多書，也讀了很多書，但不成系統，無法總結和歸納、形成知識體系。缺乏結構，一百萬粒沙子，也無法組成金字塔。因此我們要進行主題閱讀，搭建屬於自己的知識體系。

「主題閱讀法」指的是在某一段時間，集中大量閱讀某一個領域或主題的書籍，

進行深度閱讀和比較閱讀。主題閱讀又可以分為兩類，第一類是結合某個主題進行閱讀，第二類是專門研究某個作者的書籍。

舉例來說，可以鎖定閱讀寫作、學習方法、兒童學習力等主題領域，而鎖定作者的話，可以是彼得·杜拉克（Peter Drucker）所寫的管理學方面的書籍，張愛玲的全部小說，或是蔡志忠老師的諸子百家漫畫等。

主題閱讀是效果最好的閱讀方法，可以把前面講到的快速閱讀、深度閱讀等技能綜合運用。

從小白到專家！主題閱讀的三大優勢

主題閱讀是最佳的自我精進的武器，透過閱讀自學各個領域的內容，不僅可以實現跨界，還可以實現技能的轉移，讓自己成為多個領域的專家。

如果想要在某個領域從小白變成專家，除了在工作中不斷踐行和實戰，主題閱讀也可以成為加速器。不斷閱讀專業相關的內容，尤其是高水準和有難度的內容，能夠有效地提升自己的能力。

我的先生是一位工程師，家裡有很多跟程式設計、演算法相關的書籍。他喜歡看專業類書籍，在自己的專業領域獲得公司主管和同事的好評，是公司的技術專家。他還出版過一本電腦類的著作，在公司也會錄製一些程式設計相關的專業課程，幫同事進行技術培訓。

我們一定要努力成為自己專長領域的專家，而不只是做好一份工作。成為專家，就會有更多的選擇權，如同俗語說的「家財萬貫，不如一技在身」。

在開始說明主題閱讀的步驟前，我先總結這種閱讀法的三大優勢。

優勢一：快速入門不熟悉的領域

當你想要快速了解某個領域時，主題閱讀是最好的方式。

經由書單的篩選，找出該領域裡從入門、進階到精通的不同書籍，從簡單到深入的主題閱讀。如此一來，你就能快速地入門這個領域，並且還能了解不同階段所需要掌握的能力。

優勢二：打造自己的知識體系

當你對某個領域感興趣，或者想在自己的專業領域裡建立知識體系時，就可以用主題閱讀的方式，幫助你系統化輸入某個領域的知識，同時也可以系統化輸出某個領域的知識，圍繞這個主題、輸出一系列的文章，甚至出版相應的書籍。

優勢三：進行自學，從小白進化到專家

從學校畢業後，不可能像在學生時代，有不同學科的老師教授知識，因此自學能力就非常重要，也是終身成長者的必備能力。

二〇一五年，我跨界從零開始寫作，就是透過主題閱讀學會的。我一邊閱讀不同的寫作書籍、學會不同的寫作方法，一邊透過寫文章實踐書中的方法。

進入職場之後，千萬不要放棄閱讀，相反的，應該多閱讀與本職工作相關的專業類書籍，提升自己的專業能力和素養，在職場中會表現得更加出色。

主題閱讀對於持續成長的人來說非常重要，非常建議大家每年至少要規畫一次主題閱讀，或者進行多個主題的閱讀。

我所主導的寫作社群每年會由年度學員舉行活動，帶著其他成員們一起主題閱讀。從書單篩選到制定閱讀計畫、完成自己的主題閱讀、輸出一系列文章，從選題到分享，是非常完整的主題式閱讀的實作練習。

瞄準特定主題，打造完整的知識體系

主題閱讀結合了快速閱讀、深度閱讀和比較閱讀等技巧，來達成自己的閱讀目標，如果能結合前面提到的費曼學習法，閱讀的效果會更好。

我們可以一邊進行主題閱讀，一邊以教代學，透過持續閱讀，不斷踐行和分享，成為某個領域的專家。接下來，就讓我們一起看看進行主題閱讀的六個步驟。

第一步：確定主題和閱讀目標

每一次主題閱讀，都要確定「領域」以及「目標」，這也是費曼學習法的第一步，確定自己的學習目標、要教別人什麼。

主題閱讀是比較花時間和精力的閱讀方法，一定要提前思考自己要達成的目標。舉例來說，進行寫作類的主題閱讀時，目標可以是「了解不同的寫作文體」，以及「掌握不同的寫作方法」。

第二步：確定主題閱讀的書單

確定好領域之後，根據主題從多個管道去搜索、尋找並列出書單。最簡單的方法就是用網路查找，在網路書店或線上平台輸入關鍵字搜索。也可以經由名人推薦，例如看看以閱讀和說書為主題的KOL所推薦的書籍來挑選。

在篩選書籍時，要先大致瀏覽過書籍的簡介和內容，判斷書籍與主題的關係，選擇跟主題的關聯較強的相關書籍，跟主題無關的書籍，即使內容很好也要捨棄，記住，我們是在進行主題閱讀，一定要選擇跟主題相關的書籍。

在挑出這次主題閱讀的書籍後，從中選擇五到八本。這些書可以這樣安排：**一到兩本入門級書籍，兩到三本中等難度書籍**，兩到三本經典書籍。如果是要長期在某個領域深耕，可以增加書籍的數量到二十、甚至五十本都可以，比例可以參考五到八本的書單內容安排。

主題閱讀的書單選擇，也可以參考《不可能的任務》作者史蒂芬．科特勒提到的方法。科特勒說，每次接觸到一個新課題時，他會挑選五本有關這各主題的書籍，通讀一遍。

第一本是你能找到關於這個話題（主題）最流行、最暢銷的書，第二本是選擇一本同樣很受歡迎，但更專業、與主題相關性更強的書，第三本是關於這個主題的半技術性讀物，第四本是深入這個主題的專業書，第五本是關於這個主題未來的發展方向。

通常第四本書是最難讀的，因為是專業和艱澀的內容；第五本書則是最難理解的，因為關乎這個主題的未來，是最新的資訊。當你要進行主題閱讀時，也可以用這樣的方式來篩選書籍。

當讀了某個領域二十到五十本書並且不斷實踐、總結經驗之後，你就可以累積一定的專業知識和技能，成為這個領域的專家。

第三步：用快速閱讀法，通讀書單中的書籍

在進行深度閱讀之前，可以先用快速閱讀的方式通讀書單裡的書籍，並判斷這本書是否要深度閱讀，同時也能先找出每本書的重點章節，做為之後若要深度閱讀時的參考。

用快速閱讀的方式，可以初步了解這個主題下的書籍的核心內容，就能有入門等級程度的理解，在這時候，也記得要一邊閱讀一邊提問，梳理該主題的問題清單以及知識框架。

第四步：深度閱讀重點書籍的重點章節

透過第三步的快速閱讀，我們已經篩選出了要重點閱讀的書籍和章節，接下來就要進行深度閱讀。

在深度閱讀的過程中，根據文本細讀的五個步驟，認真閱讀重點書籍和章節；可以一本書一本書地閱讀，也可以幾本書一起比較閱讀，找出不同書籍裡相同與相異的觀點。每本書讀完後可以繪製心智圖，概括書籍的核心學習重點。

第五步：建立知識體系，輸出讀書報告或主題文章

完成深度閱讀後，我們就要進行輸出了。透過輸出反推輸入，檢視自己對閱讀內容的掌握程度。

先從重點書籍以及章節中列出一系列關鍵字，建立該主題的核心框架和知識體系；也可以用列出問題清單的方式，從書中找到答案或解決方案，然後梳理和總結，寫一份讀書報告。

我們也可以輸出一系列的主題文章，每本書都寫一篇書評，然後再寫幾篇主題性的文章，把這次的主題閱讀透過寫作的方式進行輸出。

第六步：踐行和主題分享，教給別人

以主題閱讀的方式讀書，不只是提升在這個領域裡的專業知識，更重要的是結合學到的方法，列出行動清單、實戰並執行。

此外，也可以進行一次主題分享，或者以直播說書的形式做主題彙報；也可以結合主題閱讀，設計一個課程或者一節課，把總結出來的方法分享給更多人，同時也可以帶著更多人共同實際運用。

用主題閱讀，建立自己的知識庫

1. 確定主題和閱讀目標
2. 確定主題閱讀的書單
3. 用快速閱讀法通讀書單中的書籍
4. 深度閱讀重點書籍的重點章節
5. 建立知識體系，輸出讀書報告或主題文章
6. 執行和主題分享，教授他人

主題閱讀的這六個步驟，是必須不斷刻意練習、長期堅持，內化為固定流程。融會貫通後，可以結合自己的閱讀目的，進行改編和完善。

在一個領域裡深耕，不是一年、兩年的事情，需要多年的累積，所以這六個步驟要不斷地循環，讓自己在專業領域裡深深紮根，不斷做出成績，孕育影響力。

主題閱讀的工具表，可以使用前文提到的「高效閱讀法記錄表」；以下是我的主題閱讀記錄表範例，大家可以比較看看，當閱讀多本書籍和一本書籍的記錄有什麼不同之處。

| 作者填寫範例 |

主題閱讀法記錄表

姓名：弘丹　2016 年 3 月

閱讀方法：主題閱讀法 | 閱讀時間：3 週

閱讀領域

■學習　■職業　□家庭　□心靈　□健康　□理財　□人脈　□休閒

書名

《成為作家》（*Becoming a writer*）／《關於跑步，我說的其實是……》／《月亮和六便士》（*The Moon and Sixpence*）／《這樣學習改變了我》／《30 天寫小說》（*No Plot? No Problem!*）／《文心》

閱讀目的／解決什麼問題

1. 學習不同的寫作方法，了解不同作家的寫作方式和獨家經驗。
2. 結合書籍裡的方法，去實踐並提升自己的寫作能力。
3. 輸出一篇跟寫作相關的書單文章，發布在各大平台。

作者簡介

這 6 本書的作者分別是：桃樂絲・布蘭德（Dorothea Brande）、村上春樹、威廉・薩默塞特・毛姆（William Somerset Maugham）、齋藤孝、克里斯・巴蒂（Chris Baty）、夏丏尊和葉聖陶

重點閱讀章節

這 6 本書都是自己精挑細選出來的，每本書都逐字逐句進行深度閱讀，並結合不同的閱讀方法。

關鍵字

自信心 毫不費勁寫作 才華 集中力 內心召喚 外界隔絕術 體能強化法 直覺 小說創作協議 截止日期 觸發 修辭

核心觀點

1. 一個人能否進行文學創作，首先不是技巧上的問題，而是認知上的問題。
2. 寫作確實存在一種神奇的魔力，而且這種魔力是可以傳授的。
3. 作家的性格有兩個方面，一方面敏感和童真，另一方面成熟、沒有偏見、溫和及公正。
4. 毫不費勁寫作的方法，早起半個小時或 1 個小時，不要說話，不要讀報紙，立即開始寫作。
5. 小說家應該具備三個重要的資質：才華、集中力、耐力。
6. 史蒂芬・金的「外界隔絕術」：關上門，與外界隔絕，沒有完成目標絕不離開書房。
7. 阻礙人們實現文學創作夢想的並不是缺乏天賦，而是缺乏截止日期的壓力。
8. 人生的每一個階段都有著獨屬於這個階段的熱情、困惑和精力，而它們對小說創作都各有價值。
9. 讀書貴有新得，作文貴有新味。最重要的是觸發的功夫。

收穫和行動清單

1. 透過閱讀《成為作家》，建立了寫作自信心，學會毫不費勁的寫作方法，並持續實踐。
2. 讀完《30 天寫小說》這本書，用 30 天的時間寫了 10 萬多字的小說，辦了「30 天寫小說」活動。
3. 運用史蒂芬・金的「外界隔絕術」，寫作時在一個獨立不受打擾的空間，集中注意力寫作。
4. 讀完這六本書，每一本書都分別寫了一篇讀後感文章，發布在簡書上。
5. 寫了一篇書單文章〈如果你想提高寫作能力，我推薦這 6 本書〉，發布在簡書上，閱讀量 46 萬。

自我認可和自我承諾

恭喜自己又深度讀完好幾本書，超級優秀，我要把我的心得分享給更多人。

篩選好書的標準和方法

選書，是主題閱讀的重要步驟。閱讀最大的成本，不是買書花費的金錢，而是閱讀這本書所花費的時間。我們要用有限的時間閱讀好書，獲得更多的收穫和成長，因此選到一本好書至關重要。關於好書的定義有很多，可以根據一些評判標準，做初步的篩選。我總結三個原則，可以作為選書時的參考。

原則一：評分要有一定水準以上

買書前，我通常會去看豆瓣評分，作為一個參考指標，來初步評判一本書的閱讀價值，而我大部分會選擇評分七分以上的書籍。也可以參考微信讀書的好評度，重點閱讀推薦值超過百分之六十的書籍。

有些書的內容很好，但評分沒有達到七分，也可以閱讀，重點還是看書籍的內容，評分只是作為一個參考指標。在看評分時，我也會順便看看其他讀者寫的書評，對這本書的內容有大致的了解，再決定是否要閱讀。

原則二：經典的、多次再版、名著等有影響力的書籍

經典的書籍能夠穿越時空，建議大家每年都要挑選一些經典的書籍來讀，一邊閱讀一邊朗讀或背誦，可以帶來精神上的滋養。我們在選書的時候，也可以多選擇一些經典的書籍來閱讀。

除了經典的書籍之外，還能選擇多次再版的書籍，代表這本書的內容經得起市場和時間的考驗，品質大多有一定的水準。例如《與成功有約：高效能人士的七個習慣》、《非暴力溝通：愛的語言》（*Nonviolent Communication: A Language of Life*）、《溝通的藝術》等書籍。也可以閱讀名著和獲獎的文學作品。名著是經過時間篩選流傳下來的作品，不僅可以提升文學修養、滋養心靈，還可以學習名著的遣詞用句和寫作方法，提升自己的寫作能力。

原則三：暢銷書榜單的書籍

在暢銷書榜單上、評分又不錯的書，也可以列入閱讀清單。例如一些外文圖書，經常會標榜登上《紐約時報》、亞馬遜暢銷書排行榜等，來說明這本書的暢銷度。

也可以透過了解不同的暢銷書榜單，挑選自己感興趣的書籍，再去了解評分以及書評內容，來決定是否要閱讀這本書。例如諾貝爾文學獎獲獎作品、亞馬遜推薦的一百本好書、年度榜單、最受關注圖書榜等。

瀏覽這些排行榜，可以找到一些我們認知之外的書籍，如果剛好我們也感興趣，就可以放到自己的閱讀書單裡。最後想推薦大家用TIPS原則來選書，樊登老師在《讀懂一本書》裡公開他的選書標準就是這個原則。

T（Tool）是工具。「樊登讀書」所說的大部分書籍，都是這一類。

I（Ideas）是新的理念。作者能帶來一些新的理念、新的發現、新的想法。

P（Practicability）是實用性。書籍能夠給讀者的生活帶來改變，可以應用在日常生活中。

S（Scientificity）是科學性，不是憑空捏造，不是簡單歸納，是經歷了科學性的驗證過程。

平常選書時，可以去思考是否符合TIPS選書原則。在進行主題閱讀或平常讀書時，可以根據以上介紹的這些原則來篩選書籍。

第 4 章

寫讀書文章變現：

如何寫出優質讀後感、書評和推薦書單

在前三章中，我們詳細介紹了各種閱讀的方法，第四～八章會重點介紹該如何實踐讀書變現，讓你讀過的書發揮出十倍的價值。讀書是一種輸入，而變現是需要輸出的，透過「讀書＋＿＿＿」的模式，你也可以實現完整的讀書變現。

- 【讀書變現】閱讀＋寫作：透過閱讀，吸收一本書的精華內容，經由撰寫和書籍相關的文章，總結提煉精華內容。
- 【讀書變現】閱讀＋聽書稿：讀透一本書之後，把精華內容解讀給其他讀者聽。
- 【直播變現】讀書＋直播：經由閱讀後，提煉一本書的核心內容，透過直播說書分享給更多人。
- 【閱讀社群變現】讀書＋社群：透過讀書會，讓一群愛讀書的人聚在一起，創建並運營讀書社群。
- 【個人品牌變現】讀書＋個人品牌：透過閱讀打造個人品牌，成為讀書部落客。

閱讀可以結合的技能有很多，接下來，我會挑選最有效的讀書變現管道，詳細分享具體的執方法。

閱讀帶來的五大變現方式

讀書變現的方式有很多，我總結出五大變現的實踐管道，讓讀書為你帶來更大的價值。

（一）寫讀書稿帶來的稿費收入

撰寫讀書類的文章，如果符合相關平台的徵稿要求和水準，刊登後有機會可以獲得稿費。

我在公開寫作並寫了幾篇心得和書評後，二〇一六年開始為幾家平台寫領讀稿，不僅文章發到公眾號，還獲得不錯的稿費。二〇一七年開始為一書一課、有書等平台寫聽書稿，每個月寫上好幾篇，實現了稿費過萬的目標。

我們有不少學員透過寫讀書稿（心得、書評、聽書稿等）獲得稿費，成為各大平台的讀書稿作者，有十點讀書、一書一課、慈懷讀書會、方太幸福家、Kindle 電子書庫等。優秀的作者成為平台的簽約作者，與平台長期合作，每個月提供稿件，獲得穩定的稿費，甚至有不少學員的稿費收入比正職工作的薪水還高。

TIPS

如果你喜歡閱讀，把讀過的書寫成讀書稿，既可以敦促自己讀書，還可以獲得稿費的收入、個人品牌的曝光，一舉多得。

（二）經營各個平台的讀書帳號帶來的收益

除了可以透過寫讀書稿獲得稿費收入，另一方面，我強烈建議創作者們要經營自己的讀書帳號。對剛開始起步的個人來說，做一個百萬級粉絲的讀書帳號是有難度的，但還是可以不斷累積，努力做到擁有幾萬粉絲的帳號。

經營各個平台的讀書帳號，如果成果不錯，還有望得到廣告分潤，文章內容加入軟文[15]也會帶來收益。當你的帳號逐漸有影響力、粉絲的數量越來越多後，間接變現的方式不但多樣化、也會帶來更大的收益。如果你未來要出書，有各個平台的粉絲累積，跟編輯討論出書合作時，也是非常重要的加分項目。

—編注—

15／於網路媒體發布的文章中，以自然銜接的方式置入產品、服務資訊，類似臺灣所說的工商文。

（三）推廣書籍和讀書課程等的分潤

推廣書籍獲得分潤，也是讀書變現的方式之一。推薦書籍有許多種形式，例如在讀書類文章裡加入書籍的購買連結，如果有讀者透過連結購買，你就可以獲得相應的分潤。

也可以經由朋友圈、社群、直播等方式推薦書籍，以此獲利。我們身邊一定有很多愛讀書的人，讀完一本書，自己收穫很大，順手推薦給喜歡閱讀的朋友，還幫助他們減少選書的時間，是雙贏的事情。

除了置入書籍購買連結之外，也可以推薦閱讀相關的課程。我在朋友圈裡推薦過課程，有不少人透過我的連結付費上課，而我則獲得相應的推薦分潤。

（四）開設付費讀書訓練營或年度讀書社群

除了前面所說的幾個變現方式之外，也可以開設自己的讀書訓練營，或者是年度讀書社群，帶領一群人跟我們一起讀書。

我從二〇一七年開設聽書稿寫作訓練營，累計開設二十多期；也開設了年度讀書寫作社群，不僅帶著大家寫作，也帶著大家每年深度閱讀二十四本書。

我身邊也有一些愛讀書的朋友開設了自己的讀書訓練營，不僅敦促自己讀書，還帶領一群人一起讀書，同時還能獲得收入。如果你喜歡閱讀，就可以運用讀書訓練營的形式，影響更多人一起來讀書，本身也可以實現讀書變現。

（五）透過直播及多種商業模式實現變現

成為讀書主播，也是讀書變現的方式。人們已經越來越習慣透過直播下單買東西。各大平台也都有讀書主播，透過直播向用戶推薦優質書籍，用戶可以直接在直播間下單購書。

我在二〇二〇年註冊直播平台的帳號，成為讀書部落客，累計直播兩百多場，許多學員都是直接在我的直播間下單購買課程。二〇二一年四月十八至二十四日，在世界讀書日期間，我連續七天開直播，每天直播四小時，前三場就達到三十多萬元的營收，其中一場直播更突破了十二萬元。

當你的用戶越來越多，擁有影響力後，會有不同的商業模式帶來變現。例如電商變現，很多平台都支持開通電商，置入商品購買連結或者是電商的小程序等實現變現。

讀書除了帶來直接變現，也會帶來很多間接變現的價值。閱讀是每一位終身成長者的必備技能，能帶來非常大的改變，特別是以下三種：

（1）透過閱讀，提升職場競爭力：你遇到的任何問題，都可以在書裡找到解決方案。我們在職場中需要的許多技能，都可以經由讀書的方式學會。

職場中那些脫穎而出、快速晉升的人，都在背後付出許多努力，才能驚豔其他同事。自己學到的知識和硬本領，是誰都拿不走的，這會為我們帶來職場上的自信。當你變成一個更優秀的人，機會自然就會降臨。

（2）讀書連結優質人脈：透過讀書，也可以連結到好的人脈，而這些關係也會帶給我們巨大的改變。

我們有許多的學員，看完書之後會寫書評，發布到各大平台。有不少學員因此認識了書籍的作者，而他們寫的書評也會被出版社看見，甚至被某些大平台轉載，擴大曝光量和影響力。

還有學員因為一本書遇見了自己的另一半。他們共同在一個讀書社群裡學習，然後相識、相知、相戀。女孩從原來的城市辭職，去了男生的城市，如今已經結婚生子，孩子一歲多。

女生是我們寫作社群的學員，在北京的線下活動，她跟我們分享了這個故事，讓我看到一本書帶來的緣分。

（3）成為圖書編輯或做讀書相關的工作：閱讀也可能成為你的工作，我現在的工作內容，閱讀占了非常重要的一部分；在每週的讀書、分享、直播說書、講課等工作，閱讀是我源源不斷的靈感來源。

我有朋友學的是工科專業，因為很喜歡閱讀，經營自媒體帳號，同時透過閱讀，認識了很多出版社的編輯，後來轉行成為編輯，把讀書變成了自己的工作。

跟讀書直接相關的工作有很多，像是圖書編輯、讀書主播、出版社工作人員、圖書相關的電商部門等。

還有許多工作是跟讀書間接相關的，比方說成為新媒體作者、新媒體小編、課程研發者等，凡是需要輸出自己觀點的，都需要大量閱讀、與書打交道。

我們還可以透過讀書打造個人品牌，擴大個人影響力，如此一來變現的管道也會隨之增加，在第八章我會詳細介紹個人品牌變現的方式。

如何用文章介紹一本讀過的書？

撰寫跟書籍相關的文章，雖然文體和寫作的風格都不同，但流程是類似的，主要分為兩大部分：第一部分是閱讀，可以運用我們在前面章節介紹的閱讀方法；第二部分是寫作，可以結合我在《精進寫作》和《從零開始學寫作》書籍中介紹的寫作方法。

把閱讀和寫作形成一個循環，輸入和輸出相結合，可以讓閱讀變得更有效率，讓寫作變得更簡單。而要寫與書籍相關的文章，可以分為六個步驟。

第一步：快速閱讀，找出重點章節

選好書籍後，先用快速閱讀找出重點章節以及標記重點的內容，深度閱讀的時候重點閱讀這些段落。利用快速閱讀，對整本書有大致的了解，掌握核心的觀點和內容。

第二步：深度閱讀，提煉核心內容

要寫書籍相關的文章，一定要先把書讀懂和讀透。把整本書通讀一遍，重點章節精讀幾遍，提煉總結核心內容。可以一邊閱讀，一邊標記核心觀點、案例和素材，方便後面寫文章時使用。

第三步：構思大綱或心智圖

讀完書後，就可以開始構思文章的大綱或心智圖。寫讀後感、書評和書單等文章，擬定寫作的大綱；而寫聽書稿或者拆解稿，就需要繪製心智圖。

寫好大綱或心智圖後，如果已經有固定合作的平台，要先發給編輯確認寫作主題和寫作方向，編輯也會給作者一些修改建議，雙方討論之後，再開始寫文章。

第四步：提煉精華內容，撰寫初稿

大綱或心智圖確定後，接下來就是寫初稿了。寫初稿時，可以一鼓作氣集中注意力，先把全稿寫好，不用管寫得好不好，邏輯是否通順，先把文章寫下來，先完成、再完美。

第五步：反覆修改，並定稿

寫完初稿後，一定要多修改幾遍，很多人喜歡寫初稿，卻不喜歡修改。寫初稿的時候，很容易進入心流狀態，寫作會帶來愉悅感。修改文章有時會覺得痛苦，因為要一邊評判自己的文字，一邊修改。好文章都是改出來的，一定要有耐心，多修改幾遍。寫好後可以多讀幾遍，看是否通順。

第六步：確定發布文章／交稿

修改好文章後，可以等一天之後再看一次，確定內容沒有問題，想寫的都寫了。若是和平台合作的稿件，則可以先交給編輯。審閱稿件後，編輯會提出修改的建議，討論後再進行最後的修改，接著再提出最後的定稿。

閱讀＋寫作的正向循環

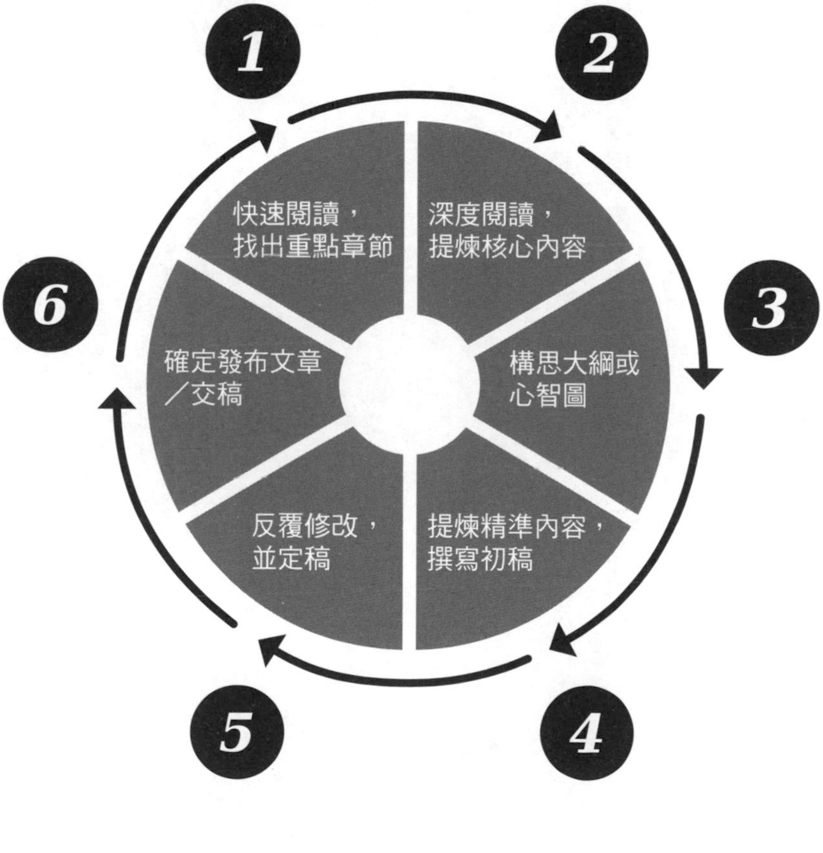
1
快速閱讀，
找出重點章節
2
深度閱讀，
提煉核心內容
3
構思大綱或
心智圖
4
提煉精準內容，
撰寫初稿
5
反覆修改，
並定稿
6
確定發布文章
／交稿

寫出生火又推坑的讀後感

閱讀和寫作是不可分割的，當閱讀累積到一個量，就想透過寫作來表達自己的想法和觀點；寫多了，就需要繼續閱讀，來補充自己的知識庫，不斷輸入產生新的靈感。**任何一個寫作者，都不可能脫離閱讀、靠單純的寫作就能取得成功。**

寫讀後感是一個非常好的方式，因為有書籍作為素材來源，不用擔心沒東西可寫，而且優秀的文章也有機會登在各大平台上。

看完這篇感想的人，會被打動嗎？

有一些讀者和粉絲們會問，他們也會寫讀後感文章，但點閱數不高，很少人閱讀、按讚和評論。我總結以下的四個步驟，可以寫出有吸引力的讀後感。

第一步：選擇合適的寫作主題

一本書有幾百頁，我們在寫讀後感的時候，不可能只透過幾千字的文章，就囊括書籍所有的內容。因此，我們需要選擇一個特定的主題，根據主題來選擇相應的觀點和素材。在選擇寫作主題時，有以下兩種方法：**（1）結合核心內容，以及（2）結合最打動你的內容。**

以《三十天寫小說》這本書為例，主題是如何用三十天的時間寫完一部小說。而我寫的讀後感文章是〈如何用三十天寫出人生第一本十萬字小說？〉，結合了書籍的核心內容，以及我的實戰經驗，跟讀者分享我是如何做到的。

再舉另一本書說明第二種讀後感寫作方法，村上春樹的《關於跑步，我說的其實是……》。這本書其實囊括了很多話題，我在寫讀後感的時候，反問自己：「**這本書對我幫助最大的地方是什麼？**」

根據這個問題的回答，我找到了讀後感的寫作主題，那就是「跟村上春樹學寫作」，這跟我的寫作定位也非常符合。村上春樹在寫作領域取得很多成就，跟他學習寫作，對讀者而言，也是有吸引力的。

根據介紹的兩種方法，你可以從一本書中選擇合適的寫作主題，來寫一篇讀後感。

第二步：根據主題篩選合適的素材

確定主題之後，需要篩選合適的寫作素材來論證觀點，讀後感的素材，主要來自於兩個部分：（1）從書籍中篩選合適的素材，（2）從自己的故事或透過搜索篩選素材。

以前面提過《關於跑步，我說的其實是……》這本書的讀後感為例，先確定寫作主題後，再篩選書中跟寫作相關的素材。例如，村上春樹為什麼會開始寫小說？他的第一部小說是在怎樣的情況下完成的？村上春樹認為小說家或者寫作者應該具備哪些資質？篩選這些內容，作為文章的核心素材。

在寫讀後感文章的時候，也要拓展寫作的素材，不能整篇文章全部都來自書中，要融入更豐富的內容。我們可以從自己的故事或經驗中篩選，或者搜尋其他合適的主題，也可以結合當下時事的熱門議題。

以文章〈真正的自律，是為自己的人生負責〉為例來說明。這篇文章除了講柳比歇夫（蘇聯的昆蟲學家、哲學家、數學家）的自律故事，還提到伊隆・馬斯克（Elon Musk）的生平，來證明「這世界上有所成就的人，幾乎都是在目標的指引下，保持自律，不斷向前」。不但講到心理學上的洛克定律，也就是「當目標有未來性又富有挑戰性的時候，是最有效的」，也舉了生活中我們熟悉的健身為例子。

這篇讀後感文章以柳比歇夫的自律故事為主要敘事方向，再結合幾個書本之外的素材，來說明自律的重要性，整篇文章的內容就非常豐富了。

第三步：加入自己對書籍的解讀

寫讀後感要融入自己的理解，而不是摘抄書中的觀點，或只是通篇引用或闡述作者所說的話。

讀後感要結合自己的親身經歷，才能引起讀者的共鳴。我寫過一篇讀後感〈關於寫作的各種困惑，答案都在這本書裡〉，不只是從書中尋找答案，也加入了自己的寫作經歷。這篇文章在簡書有五萬多的點閱量、三千多個按讚數和四百多則評論。

不只親身經歷，寫讀後感時，最好也要融入自己的獨特觀點，儘量寫得有用、有趣，可以結合書中的觀點、舉出幾個例子，或者寫自己的故事，增加文章的趣味性，貼近讀者的生活、解決讀者的問題。

第四步：取個有吸引力的標題

標題對於讀後感文章也是非常重要的，有不少人的文章標題就直接是〈（書名）讀後感〉，完全沒有吸引力！想讓更多讀者點擊進來閱讀，首先一定要有吸睛的標題。

下標的方式，可以採用「書名＋觀點」，例如〈理性與感性：懂得克制，才是人間清醒〉、〈小王子：學會享受孤獨，是人一生的修行〉、〈你當像鳥飛往你的山：與自己和解，才是人生最好的治癒〉等。

如果不想寫出書名，也可以用爆紅文章的技巧下標，例如〈不懂框架思維，你的成長都是瞎折騰〉（《論強者》的讀後感）和〈如果能活到一百歲，我們該如何度過？〉，（《100歲的人生戰略》的讀後感）。

絕不失手！高按讚、高分享的讀書心得這樣寫

選擇一個合適的寫作主題

1. 結合核心內容
2. 結合最打動你的點

根據主題篩選合適的素材

1. 從書籍中篩選
2. 從自己的故事或透過搜尋

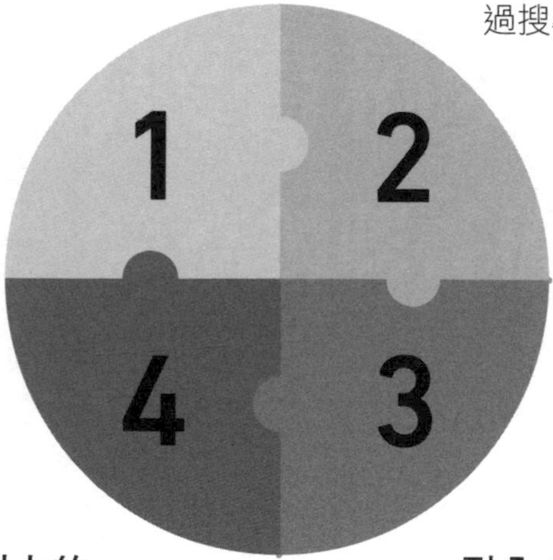

要取個有吸引力的標題

1. 採用「書名 + 觀點」的形式
2. 不寫書名，運用爆紅文標題的技巧

融入自己對書籍的解讀

1. 結合親身經歷
2. 融入獨特觀點

讀後感文章拆解和分析

想要提升寫作能力，首先要懂得如何拆解文章。尤其是想要實現刊登在平台上的目標，一定要練習拆解那些已經被登上平台的優質好文，這樣可以更清楚地了解每個平台的寫作要求。

我挑選寫作營的學員蘇莉所寫的一篇文章，結合讀後感的寫作方法，做了一些批註，帶著大家一起來拆解。這篇文章刊登在樊登讀書的公眾號，點閱量有一點三萬人次之多。這篇讀後感的篇幅比較長，我截取讀後感的開篇第一個小標題的內容，以及結尾作為範例。

《做自己的生命設計師》[16]：三種方法，教你打造出一個自己的專屬未來

作者：蘇莉

文章的標題採用：書名＋觀點的形式。標題採用了「數

暢銷書《精進寫作》的作者弘丹老師，於二〇二〇年辭職了。

但她一點都不慌，因為她已經出版三本書，還打造了弘丹寫作成長社群，幫助上萬人愛上讀書寫作，實現自己的人生願景。

這是她一步步打造出來的自己的專屬未來，而她在達到這個理想目標之前，是一名外商職員，和我們一樣，需要朝九晚五地辛勤工作。

但她並沒有滿足於之前的生活，反而透過下班後的業餘時間，堅持不懈地在寫作方面努力深耕，才有今天的成就。

字法」，一看標題就覺得文章內容充實。

用「故事引入法」開頭，特別有吸引力。很多讀者都喜歡看故事，用故事的方式吸引讀者閱讀。同時用弘丹的故事，引出文章的主題「設計出專屬於自己的理想人生」。

—編注—

16／完整書名為《做自己的生命設計師：史丹佛最夯的生涯規畫課，用「設計思考」重擬問題，打造全新生命藍圖》（*Designing Your Life: How to Build a Well-lived, Joyful Life*）。

我們也可以像她一樣，為我們自己，設計出專屬於自己的理想人生。

> 承上啟下的句子，點名文章的主題：設計出專屬自己的理想生活。

《做自己的生命設計師》這本書告訴我們：

人生不可能被完美規劃。但我們可以像設計師一樣思考，利用設計思維的模式，找到自己的生活目標，創造出更多的可能性，大膽嘗試，這樣才有可能與我們理想中的命運相遇。

> 提煉這本書的核心觀點，以及這篇文章的主題。

這本書是由兩位蘋果公司前員工比爾．柏內特（Bill Burnett）和戴夫．埃文斯（Dave Evans）共同撰寫的，他們在史丹佛大學所開設的人生設計課，成為學院裡最受歡迎的課程。

為了影響更多人，他們讓這本充滿指導意義的書

> 用兩段話，介紹這本書作者的背景情況。

成功問世。本書會從實際經驗出發，幫助你創造出充滿無限可能的夢想人生。

（文章的第一個核心觀點。）

01

接受現實，從現狀開始創造未來

還記得那位三十六歲從收費站退休的大姐嗎？她哭訴說自己除了收費，什麼都不會。

還記得甲骨文公司那次著名的裁員事件嗎？員工們被裁後都找不到工作，因為平時不注重自我升值，被公司最終養廢了。

（這兩段內容，用了兩個熱議事件作為寫做素材，來引出第一個核心觀點的內容。）

那他們以後怎麼辦呢？很簡單，分析現狀，重新出發，去計畫未來的人生。

（這一段話是承上啟下的作用，熱議事件和核心觀點之間的銜接。）

人生設計的起點，是接受現狀，從當下的位置開始創造自己的未來。

書中告訴我們，可以先從健康、工作、娛樂和愛這四方面來評估一下自己的現狀。

結合書籍裡的核心觀點和素材，作為這部分內容主要寫作素材。

作者把這四方面畫成了汽車儀錶板的樣子，每一項都有刻度，我們可以在圖上依自己的現狀評分，更加直觀地了解自己的現狀。

在人生的不同階段，我們對這四方面的關注度是不一樣的。

例如，一個剛畢業的年輕人可能更專注於工作，一位退休老人可能更專注於健康。

透過畫出這樣一個儀錶板，我們能很清晰地看到自己目前在哪些方面存在不足，在哪些方面又投入了過多的精力。

儀錶盤會幫助我們認真評估現狀，找到自己應該去調整的方向。

02 學會覆盤，找到人生興趣點

……

文章的第二個核心觀點。

03 頭腦風暴，暢想人生多樣性

……

文章的第三個核心觀點。

04 寫在最後

最後結尾的總結和昇華。

車爾尼雪夫斯基曾說過：「未來是光明而美麗的，愛它吧，向它突進，為它工作，迎接它，盡可能地使它成為現實吧！」

引用金句的方式，來作為結尾，昇華文章的主題。

從現在開始，去計畫與創造屬於自己的未來，打造無限可能的人生。

呼籲讀者的行動，激發讀者的行動力。

我以這一節提出的四個讀後感文章寫作步驟，分析以上這篇文章。首先確定文章的寫作主題，可採用書籍中的核心觀點或核心方法，選擇一個小的切入點來寫。

假設這篇文章的主題是「三種方法，教你打造出一個自己的專屬未來」，在確定好寫作主題後，結合書籍的內容，篩選三個核心的觀點，用三個小標題的形式，來提煉文章的分論點。

我們在寫讀後感文章時，也可以統整出三到四個核心的觀點，作為文章的小標題。然後結合這三個小標題，從書籍中的素材、從自己的素材庫裡或者是網路搜尋，挑選主題來論證核心觀點。

這篇文章的寫作素材比較豐富，除了書籍的素材，還有作者自己的經歷、身邊周遭的故事、網路搜尋的素材、焦點新聞的素材等，透過豐富的論述來論證觀點。如果你還不知道怎麼寫讀後感文章，可以參考這篇文章的寫作方法。

TIPS

寫讀後感的時候，要站在讀者的角度來寫，不要只是寫自己感興趣的內容，要思考你輸出的內容對讀者有什麼幫助。

寫出兼具條理和深度的書評

我們看完一本書，除了可以寫讀後感的文章，也可以寫一篇書評。**讀後感的內容主要是讀完這本書後的感想，圍繞自己的感想和收穫；書評則是以書籍的主要內容來寫的**：作者是誰、主要講了什麼內容、有哪些是內容重點等。

學會寫書評，不僅可以讓自己深入了解一本書，提升寫作水準，還能賺取稿費，現在各大平台都在尋找好的書評人。「弘丹寫作社群」目前固定和幾家出版社合作，出版社會贈送最新出版的書籍給書評撰稿人，看完書、輸出一篇書評，發布到各個平台上。

積極寫書評的學員，幾個月內就收到了價值數千元的數十本書，實現了「看書自由」；優秀的書評還能獲得稿費或者是贈書，實現讀書變現的其中一項。

明知道是「工商」，仍然想買單！

有些出版社在書籍上市前，不僅在自家的網路平台，也會到閱讀相關的線上社團徵求試讀心得和書評文章，建議大家可以從這裡開始嘗試寫書評分享文，除了獲得新書的贈書，也是累積自己書評文的寫作練習；若書評文的瀏覽率和互動率高，之後也有機會獲得出版社的主動邀約撰文。

那麼寫書評和寫讀後感，兩種文章類型有什麼不同呢？我用前一小節的說明方式，來一一拆解書評寫作的六大步驟。

第一步：開頭引入主題

書評文章的一開頭，就要立刻引起讀者的閱讀興趣，引入這本書的主題。可以採用故事法、案例法、親身經歷法、提問法、名人名言法等，或者用和主題有關的提問句，觸動讀者的思考。

第二步：用一段話概括全書

引入主題後，用一段話敘述這本書的主要內容以及核心觀點，簡單扼要的概括全書的精華，讓讀者對這本書有整體的了解。

第三步：以一段話介紹作者

介紹作者的段落，要假設讀者們完全不知道作者的背景：作者是誰、在專業領域有什麼建樹和經歷等，還可以提到其他讀者和市場對這本書的評價。

第四步：提煉三個小標題，講解三個核心觀點

一本書有十幾萬字，寫書評時很難面面俱到，不可能把整本書的所有觀點都呈現在文章裡。篇幅有限，在寫作時要重點闡述三個核心的觀點或者方法，切忌貪多求全。

每一個觀點要完整闡述，也可以舉例說明；解說方法時，可以具體講解如何使用

這些方法。透過你的講述，讓沒有讀過這本書的讀者掌握這三個核心的觀點，並且能夠將書中介紹的方法運用於自己的實際生活中。

第五步：簡單講述自己的感悟和收穫

講完書中的三個核心觀點之後，可以簡單講述自己的收穫和感悟，內容篇幅不要太多，不要寫成讀後感文章。在結尾部分，可以對文章作一個簡短的總結和概述，用金句或者名人名言結尾。

第六步：寫出有吸引力的標題

和寫讀後感一樣，書評寫完之後，如果只是簡單的〈（書名）書評〉，是很難吸引人點進去看內文的。書評的下標技巧和讀後感一樣，可以用「書名＋觀點」的方式來寫，讓讀者看到標題就知道是哪一本書，當然也可以用爆紅文式的下標技巧，作為更有吸引力的標題。

在寫書評的過程中，可以參照這六個步驟來構思全文，讓讀者讀完文章後，對書籍產生濃厚的興趣，觸發他們進一步思考、按讚、討論和轉發。

專家級的書評寫作技巧

1. 開頭引入主題
2. 一段話概括全書
3. 一段話介紹作者
4. 提煉三個小標題，講解三個核心觀點
5. 簡單講述自己的感悟與收穫
6. 寫出有吸引力的標題

書評文章拆解和分析

下面我以書評文章〈非暴力溝通：別讓「暴力」的說話方式，蒙蔽了我們的愛〉為例，具體講解書評文的寫作技巧。這篇文章是學員婷然寫的，刊登在書評類的公眾號。

和前一小節拆解點評讀後感的方式一樣，我會以書評寫作的六步驟做出批註。這篇書評的篇幅比較長，因此以下截取書評的開篇第二個小標題的內容，以及結尾作為範例。

《非暴力溝通》：別讓「暴力」的說話方式，蒙蔽了我們的愛

標題的寫作方式：書名＋觀點。

文／婷然

談起「暴力」，大家的第一反應可能就是對他人

的身體進行攻擊，比如打架鬥毆。但其實，在我們的日常生活中，更為常見的是：語言暴力。

都說「良言一句三冬暖，惡語傷人六月寒」。有些話，讓人聽了如沐春風，而有的，卻猶如冷水澆得人透心涼。

丈夫下班回到家，看到蓬頭垢面的妻子哄著一直哭鬧的寶寶，本就疲憊的心更添煩躁，對著妻子埋怨道：「一個孩子都哄不好，妳怎麼當媽的！」

孩子放學拿著考試成績單，看著不及格的分數，媽媽忍不住發火：「怎麼又不及格？同樣都是學習，你看鄰居家小明怎麼就每次前三名。」

以上幾個場景，你是否似曾相識？這樣的溝通方式不僅不會帶來你想要的結果，反而會讓對方產生反

開頭採用的是開門見山法，引入「暴力」這個關鍵詞，並重點講「語言暴力」。

引用俗語，引出下面的具體案例。

用場景描述的方式，舉了兩個具體場景，來說明日常生活中的語言暴力。都是讀者生活中經常遇到的，很容易引起讀者共鳴。

感和隔閡，讓彼此的關係變得冷漠甚至敵對。

為什麼呢？《非暴力溝通》告訴我們：因為暴力語言的傷害要比肉體上的傷害更加令人痛苦。

這本書的作者馬歇爾・盧森堡（Marshall B. Rosenberg）是美國臨床心理學博士，全球首位非暴力溝通專家。他有五十多年的實踐經驗，不僅指導人們在工作和生活中運用非暴力溝通消除分歧和爭議，還幫助解決許多世界上的爭端和衝突。

01 暴力溝通，對人是一種傷害

02 非暴力溝通，讓愛融入你的生活

那麼，到底什麼是非暴力溝通呢？

馬歇爾・盧森堡博士指出，非暴力溝通是指導

承上啟下，引出書名。

一句話引出書籍，簡單概括《非暴力溝通》的觀點。

詳細介紹作者的背景以及在非暴力溝通上的實戰經驗。

文章的第一個核心觀點。

講完暴力的溝通方式，接下來講的是非暴力的溝通方式。

文章的第二個核心觀點。

我們轉變談話和聆聽的方式，不要用本能去反應和溝通，而是去留意當下發生的事情，客觀陳述觀察的事實，清晰表達自己的感受和願望，又能尊重他人感受與傾聽他人。

結合書籍的內容，詳細的解釋非暴力溝通的概念。

非暴力溝通包含觀察、感受、需要、請求四個要素。

引出第二部分的核心內容：非暴力溝通的四個要素。

非暴力溝通的第一要素是觀察。它要求我們對正在發生的事情只客觀陳述事實，不判斷、不評估。

非暴力溝通的第二要素是感受。我們在與他人溝通時，總是習慣於表達想法而非感受，別人就很難了解我們的真實感受，從而產生隔閡。作者建議我們建立表達感受的詞彙庫，這樣有助於更清楚表達內心感受，溝通會更加順暢。

非暴力溝通的第三要素是需要。在表達自己的感受之後，則可以說出自己的真實需要。

非暴力溝通的第四要素是請求。要想自己的請求得到對方的正面回應，請求越具體越好。除此之外，我們還要注意說話的語氣，避免被人誤會你的請求是「指責和命令」。

詳細講解四個要素。

我們舉一個具體的例子，戀人吵架的時候，如何用非暴力溝通的方式來溝通？

舉一個詳細的例子說明。

首先，女方會觀察到男方的某些行為讓自己不高興，她客觀地陳述事實：「你七點出門吃飯，深夜十二點才回來」。這時候，她會對他說出自己的感受：「你剛才的行為，讓我很難過。」

接著，她會對男方說出自己的需要：「你七點出門吃飯，深夜才回來，我有點傷心。我生病了覺得很不舒服，想要你多陪一下我。」

最後，她會告訴男方自己的請求：「我希望你能每天多花一個小時來陪我。」

非暴力溝通建議我們注意觀察，專注於彼此感受、需要，獲悉對方的請求，鼓勵傾聽，培育尊重與愛，讓溝通雙方情意相通，融於愛。

對第二部分的核心內容做一個簡單的總結。

03 **學會傾聽，真正走進對方的內心**

文章的第三個核心觀點。

（中略）

04 **寫在最後**

最後的總結和昇華。

非暴力溝通就是這樣一個神奇的魔法棒，它能幫助我們從負面情緒中解脫出來，平息我們的怒氣，讓我們更專注於自己或他人的感受。

你的溝通態度，決定了世界的溫度。願我們都能掌握非暴力溝通的技巧，越來越愛自己，越來越懂孩子，越來越懂家人，獲得各種美滿的關係。

結尾用金句和祝福的方式，昇華主題，引起讀者共鳴。

我以這一節提出的六個書評文寫作步驟，分析以上這篇文章。書評文章和讀後感文章的寫作方式類似，兩者的差異，在於書評的內容大多圍繞書籍的核心內容和方法，以書籍的素材為主，自己的觀點和素材會比讀後感文章的占比少一些。

這篇書評文章重點敘述了《非暴力溝通》的三個核心內容，分別是：四種暴力的溝通方式、非暴力溝通的四個要素、如何非暴力傾聽。

結合這三個核心內容，作者用三個小標題的方式來概括每一部分的觀點。這篇書評文章的三個核心內容，都是書裡重點講述的內容，閱讀之後能對《非暴力溝通》這本書有詳細的了解，是一篇很優秀的書評文。

寫出指標性、高分享的推薦書單

讀了一些好書之後，可以寫一篇書單文章，把好書分享給更多人；或是在主題閱讀時，也可以寫一篇書單文章，作為成果發表。

我發現書單文章很受歡迎，因為大家都會好奇別人讀了什麼書；此外，大家也喜歡收藏書單文章，可以把有興趣的書加到自己的閱讀清單上。如果要寫帶貨文章，也可以寫書單文章。當電商平台在舉辦促銷活動，很多公眾號都會寫書單推薦文章，配合平台的促銷折扣，將購買連結置入在文章中，方便讀者一鍵購買。

想一次整批下單！推書達人的書單文技巧

我喜歡規劃主題閱讀，同時會寫書單文章。我在寫作之初就讀了大量寫作相關的書籍，後來發表了一篇書單文章〈如果你想提高寫作能力，我推薦這六本書〉，在簡書有四十六萬的閱讀量。與寫讀後感和書評相同，我以四個步驟整理出撰寫書單文的重點。

第一步：確定寫作主題

書單文章和讀後感的第一步相同，要明確知道自己想寫哪個主題的書單文，你所篩選的書籍，要符合文章的主題。如果要寫提升寫作能力的書單，就要篩選跟寫作技巧相關的書籍；若是寫提升閱讀效率的書單，則要篩選與閱讀技巧相關的書。

第二步：篩選優質的書籍

根據寫作主題，篩選優質的書籍，儘量選擇評分不錯，自己看完後有收穫的書。

一篇書單文章，可以推薦三到六本書，五本最合適。如果數量太少，就稱不上是書單文；數量太多，文章就會比較長，讀者一下子也記不住那麼多書。請記住，所選的書籍，一定要跟主題是相關的。

第三步：介紹書籍亮點與推薦理由

書單文章中所推薦的書籍，可以簡單介紹書籍的基本資訊：作者、書籍簡介、核心內容、書籍亮點等，讓讀者快速了解這些書。同時也要寫推薦的理由，以及讀完書的收穫與感悟。這部分內容不要太長，否則文章的字數就會太多了。

第四步：寫出一個吸引人的標題

無論是哪一種文章，標題都非常重要！書單文章的下標，可以用這樣的方式：「書單主題＋推薦×本書」。例如我曾寫過的一篇書單文，標題是〈走出焦慮迷茫，我推薦這六本書〉等。

我有很多學員寫的書單文章，不僅經常獲刊，還都能領到稿費，而他們的下標也十分吸引人，像是晨星的〈看完這幾本書，一年讀完一百本書不是夢〉，晴的〈關於女性成長，我推薦這五本書〉等。

寫出指標性的書單推薦文

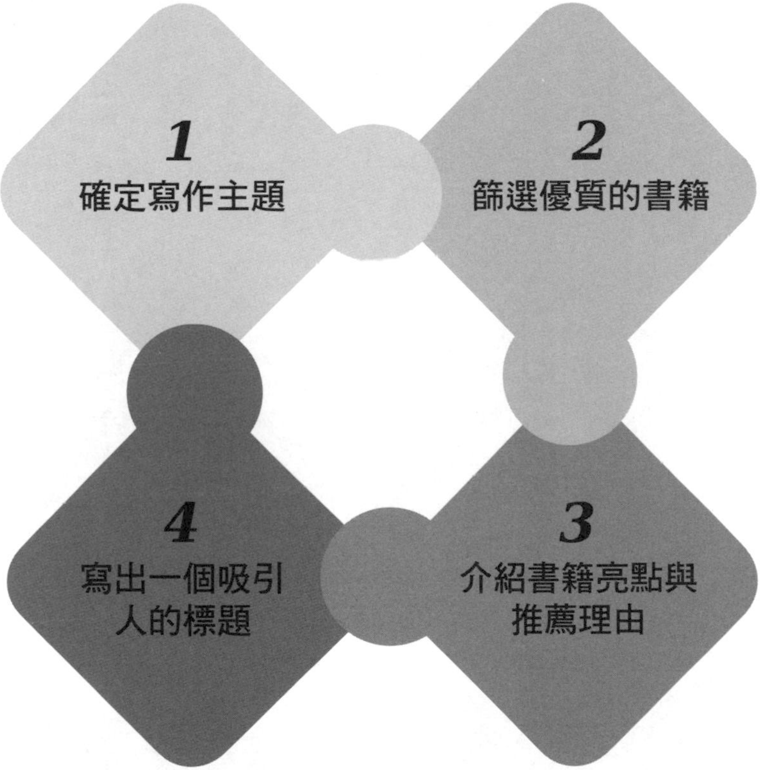

書單推薦文章拆解和分析

接下來，我以書單文章〈如何過得更幸福？我推薦你讀這五本書〉為例，具體講解書單文章寫作技巧。這篇文章是希言寫的，她的文章經常被刊登在十點讀書、洞見等知名閱讀平台。我會結合書單寫作的方法，做一些批註。以下內容截取了書單文章的開頭，第一本書和第二本書的介紹，以及結尾作為範例。

如何過得更幸福？我推薦你讀這5本書

書單的標題，採用的是「書單主題＋推薦幾本書」的方式。

作者：林希言

哈佛大學心理學教授塔爾．班夏哈（Tal Ben-Shahar）說：「幸福感是衡量人生的唯一標準，生命的最終目標是快樂。」

人生在世，無論是光鮮亮麗的名人，還是奔波忙碌的草根，每個人都在追尋著屬於自己的幸福。

然而，幸福到底是什麼呢？古往今來，不同的人心中的答案都不同。

今天，為大家推薦這份「幸福書單」，幫你認清幸福的本質，提升幸福力。

01《幸福其實很簡單》

這本書是超人氣心理學家、EQ管理專家張怡筠博士的代表作，她把自己二十多年來的研究心得，全部融入這本書中，書裡乾貨滿滿。

在這本書中，作者提供許多實用的小方法，手把

開頭是引用名人名言的方式，開門見山提出文章的主題「幸福」。

用非常簡短的幾句話，切入這篇文章的核心主題。

推薦第一本書：《幸福其實很簡單》，這本書的書名就包含了「幸福」兩個字，非常適合作為「幸福書單」。

手教你解決生活難題，幫你在愛情、婚姻、家庭、職場中輕鬆穿梭。

我們總以為幸福離自己很遙遠，總想努力去尋找它。殊不知，幸福就在我們身邊。得到幸福的途徑，也比我們想像得要簡單。

生活中，處處充滿小確幸。那些看似不起眼的小事，積少成多，都能成為我們幸福的源泉。

林語堂曾這樣描述自己的幸福：「一是睡在自家的床上，二是吃父母做的飯菜，三是聽愛人說情話，四是跟孩子玩遊戲。」

這些事情看似瑣碎平凡，但倘若心中有愛，一蔬一飯，三餐四季，皆可為詩。

在作者看來，幸福是深刻而長久的滿足感，想要

用一段話，簡短介紹作者。

引用名人名言來解釋幸福，並且跟「幸福其實很簡單」的話題非常貼切。

獲得幸福，最重要的是要勇於做自己幸福的建築師，善於做自我幸福的管理員。換句話說就是，幸福不幸福在於自己會不會創建和調節。

（簡單講述作者對於幸福的理解，以及如何獲得幸福。）

幸福不是與生俱來的本能，而是需要後天習得的技能。只有掌握這些技能，並且付諸實踐，幸福才會變得很簡單。

而這個學習的過程，無法一蹴而就。如果你想在學習時少走彎路，不妨讀讀這本書。

（用兩段話，簡單描述自己的推薦理由，透過後天學習幸福這個技能，這本書可以在學習時少走彎路。）

02《人生護城河》

（推薦第二本書。）

這本書豆瓣評分八點一，作者張輝透過以終為始、思行合一、高度透明和多點支撐這四個理念，來告訴大家如何經營人生有限公司。

（用一段話概括書的作者以及書籍的核心內容。）

幸福不是靠運氣，而是靠經營。

人生就像一家公司，只有圍繞這家公司挖掘出寬廣的護城河，才能建立自己的核心優勢，從而掌控人生、獲取幸福。

這本書的書名看起來跟幸福沒有什麼關係。用一句話「幸福不是靠運氣，而是靠經營」，總結了推薦這本書的理由。

生而為人，我們常常花大量時間去追求金錢、職位和名氣，在社會的裹挾下匆匆向前。

可當我們擁有了這些表面的虛榮，真的會幸福嗎？依賴物質得到的幸福感，其實難以長久。一旦外在事物發生變化，幸福感就會一落千丈。

要知道，幸福不在別人眼中，而在自己心裡。與其費盡心思關注這些不可控的因素，不如反觀內心，做自己喜歡的事情。

正如作者所說，真正的幸福感，來源於「當下正在做的事情正是我內心想做的，並且我內心想做的事情給我帶來了最大的回報。

作者自己透過早起寫作，進入心流狀態，而日積月累堅持寫作，又帶給他物質和精神雙重回報。

這樣的日子，無疑是幸福的。

唯有熱愛，可抵歲月漫長。希望我們每個人，都能找到內心所愛，幸福地活著，而不是被迫謀生。

……

好了，以上就是今天推薦的五本書，希望對你有所啟發。

愚者尋覓遠方的幸福，而智者在腳下播種幸福。

餘生，願所有幸福如約而至，願我們都能有事做、有人愛、心懷美好期待，幸福度過生命中的每一天。

分享作者對「幸福感」的理解，以及作者透過早起寫作找到幸福的故事。

用金句來作為第二本書推薦的總結。

用一句總結，推薦這五本書。

用金句來結尾，呼應文章的標題「幸福」，也呼應開頭，首尾呼應。

寫書單文章，首先是要確定書單的主題，這篇文章的主題是「幸福」。結合主題，篩選合適的書籍，文章中推薦的五本書，其中三本書的書名就帶有「幸福」的關鍵字，書籍跟主題的相關性是非常強的。

我們在篩選書單的時候，可以用關鍵字搜索法，例如推薦「寫作」的書籍，就用「寫作」作為關鍵字搜索相關的書籍，篩選自己看過以及評分比較高的書。

確定好書籍的清單後，接下來就是介紹每一本書的概況、作者是誰、這本書的內容、推薦的理由。這篇文章的每一部分，基本上都是按照這四個方面來寫的。

第 5 章

寫聽書稿變現：

一篇高價聽書稿的原則

許多人會在上下班途中、做家事時打開聽書軟體，用二十分鐘的時間聽一本書的精華。

聽書稿通常是六千字左右，有一定的寫作模式和固定的格式要求，如果不知道這些寫作要求，我們寫的稿子就很難通過。

很多平台都有聽書的專欄，寫聽書稿也是讀書變現的方式之一，在這個章節，我會詳細跟大家介紹如何寫聽書稿實現讀書變現。

即使不是為了提供平台稿件而寫，也要學習聽書稿的寫作方式。因為聽書稿將閱讀和寫作形成循環，能提高閱讀效率，如果在閱讀每一本書時，都刻意的要求自己精選出內容的三個核心關鍵重點，一定會讓閱讀更有效果。

書評寫作和聽書稿寫作的步驟類似，而聽書稿寫作的方法可以用在書評寫作上。如果你經常直播說書（或準備要做），也可以參照聽書稿的框架，來準備直播說書的大綱。

優質聽書稿的寫作範本

如果你已經被平台邀請寫聽書稿，以下的合作流程可以參考看看，希望能幫助你和平台的編輯溝通更順暢、寫稿的內容更豐富。

首先，平台會提供書單，讓你從書單中擇一來寫；當看完書後，先抓出書中的核心要點，撰寫心智圖，接著發給平台編輯確認。聽書稿最重要的是內容三核心，如果抓錯了，之後就需要花很多時間修改。先跟編輯確認過心智圖、確保三個核心關鍵是彼此都想提供給聽眾的，再繼續寫全稿。寫完稿件之後再發給編輯，編輯會提供一些修改建議，而修改好之後是定稿，就可以進行錄音上稿的後續步驟了。

如何吸引用戶一直聽下去？

接下來我會詳細跟大家介紹，如何寫一篇讓編輯滿意的聽書稿；我把聽書稿的寫作流程，總結為以下六大步驟。

第一步：固定開場白，一句話概括全書

通常每個平台的開篇第一句話，都是固定的格式，例如「大家好，歡迎收聽〈（節目名稱）〉，我是ＸＸ」，然後再介紹解讀的書籍，並用一句話概括全書的精華內容，吸引聽眾的注意力和好奇心，讓聽眾想要一口氣聽完這本書。

第二步：引題和破題，吸引聽眾的興趣

開頭可以用講故事或分享親身經歷等方式，選擇切入點來吸引聽眾的注意力。引題和破題，可以結合聽眾的痛點，讓他們感同身受，激發聽眾的好奇心以及繼續聽下

去的動力。

第三步：作者概況簡介

引入這本書後，再簡單地介紹作者的專業經歷、成就、獲獎等；這一步和書評文章類似，而聽書稿的作者介紹篇幅可以稍微增加，但不要太長，一段即可，最多兩個小段。

第四步：概括全書的三個核心內容

介紹完作者和書籍的概況後，接下來，要引出這篇聽書稿重點解讀的三個核心內容。這些內容，會在開篇的時候就告訴聽眾，吸引他們的注意力，讓他們有想要聽下去的動力。舉例，學員片兒川姐解讀的《愛孩子，不必談條件》，主要從三個部分來解讀這本書的精華內容。第一部分，有條件教養有什麼危害；第二部分，無條件教養有什麼優勢；第三部分，如何提供無條件教養。

以上四個步驟是開篇的內容，字數通常控制在一千字左右，我會在後面再詳細介紹如何寫聽書稿的開篇內容，並舉例來說明。接下來是正文部分，也是一篇聽書稿的核心內容。

第五步：詳細介紹書籍的三個重點

這部分是聽書稿寫作的核心內容，也是篇幅最長的部分。根據不同的書，核心內容也可以是四點，但儘量不要超過五點，總字數約五千字左右。

每個核心關鍵的解讀，要有具體的方法和實用的內容。在講解學習重點的時候，要注意前後的銜接，合理設置懸念，引起聽眾的期待，抓住他們的興趣。

聽書稿的寫作難點，是核心內容的選擇和講解，這考驗寫作者的總結能力，而這些能力是在寫聽書稿的實戰過程中不斷提升的。

第六步：將三個重點總結回顧

一篇聽書大約十五分鐘，其實很容易聽到最後就忘記前面聽了什麼，所以需要在結尾再總結回顧一下，通常會是「首先我們講了……，其次我們講到了……，最後我們講到……」。

總結回顧大約是五百字，回顧整篇聽書稿的核心內容。最後一段話是固定格式的結束語。寫完這部分，一篇聽書稿就完成了！和前面的其他文章類型相比，聽書稿對

一開口就抓住用戶注意力的優質聽書稿

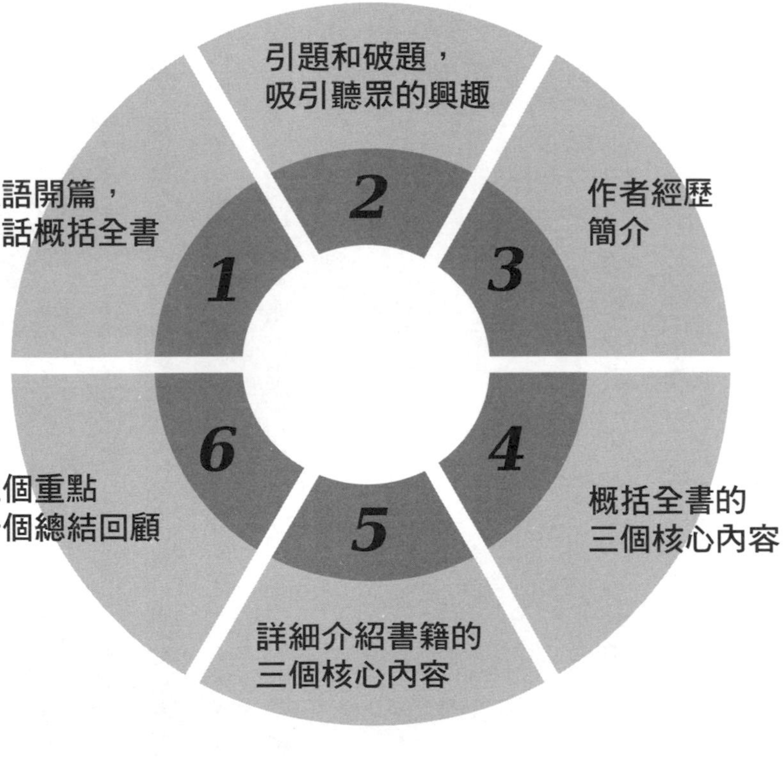
固定語開篇，
一句話概括全書
對三個重點
作一個總結回顧

於寫作者的閱讀能力和寫作能力都有比較高的要求。

聽書稿的寫作風格是嚴謹、客觀、中立的，主要解讀書籍的核心內容，不需要加入解讀者自己過多的感悟和收穫。聽書稿的寫作，不要寫成自己公開帳號的寫作風格，也不要寫得詼諧有趣或是勵志文。**寫作風格不對，就要全稿修改，所以一開始方向就要抓對。**

聽書稿是寫作者的再創作內容，不是原文的搬運，引用原文的比例，建議不要超過百分之十。整篇聽書稿要用自己的語言來講述，不要照抄原文，除了有版權上的疑慮，照抄原文也不符合口語化的表達。

接下來，我會從聽書稿的開篇、心智圖以及如何解讀重點內容這三個部分，來詳細拆解該如何寫出一篇優秀的聽書稿文章。

TIPS

因為聽書稿會錄製成音訊，寫的時候要儘量口語化，多用短句、簡單的詞彙，不要用太複雜的句式。寫的時候要有強烈的對象感，讓讀者覺得好像在對著他講話一樣。

十秒鐘之內，就要引起聽眾注意力

聽書稿的寫作，可以分為三部分：第一部分是開篇內容，約一千字；第二部分是正文內容，約五千字；第三部分是總結回顧部分，約五百字。

首先來詳細講解聽書稿的第一部分，也就是開篇內容，相對來說是比較好寫、也有固定的格式，主要包含四個部分：（1）固定語開頭、一句話總結全書的精華，（2）引題和破題，引入書籍內容，（3）介紹書籍的核心內容，（4）介紹作者的背景和情況。

用一句話介紹一本書最吸引人的精華

通常聽書稿的開篇第一句話，都是固定的格式：「歡迎聽眾來到×××平台／（節目名稱）」，然後再介紹今天要解讀的書籍，以及用一句話概括全書的核心內容，這句話必須非常精練，同時也要非常有吸引力，能立即引起聽眾的興趣和好奇心。

舉一篇我自己寫的聽書稿為例——

你好，歡迎來到「弘丹早起讀書會」，早起讀書，終身成長，我是「弘丹早起讀書會」的創始人弘丹。今天為你解讀的是我在二〇一八年出版的第二本書：《從零開始學寫作》。這本書講的是如何從零開始寫作，掌握寫作的底層邏輯，寫出優質的文章。

開篇的第一段話，前面的內容都是固定格式，難點是在最後，要用一句話概括書籍的核心內容；我整理出兩個方法，來提煉開篇段落非常精練的一句話。

方法一：從這本書的使命，以及解決讀者痛點的角度上來提煉

我們可以找出作者透過寫這本書想要解決的問題，作為概括書籍內容的精華句。介紹方法論的書，通常會解決讀者相應的痛點，我們也可以從解決讀者痛點的角度來寫這句。

就像《跟任何人都聊得來》（*Confident Conversation: How to Communicate Successfully in Any Situation*）這本書，作者在書中講的方法，是針對內向者的。因此我是這麼提煉的：內向者如何自信地與人交談，跟任何人都聊得來？

方法二：用提煉的三個核心要點，來概括精華內容

前面已經提到，寫聽書稿的重點，在於提煉書籍的三個重點。在寫一句話概括書籍核心時，可以直接使用這三個重點作為內容摘要。

以《焦慮情緒調節手冊》為例，這本書主要介紹用認知行為療法、情緒暴露法、情緒隱藏技術來調節焦慮情緒。因此一句話概括就是：如何用認知行為療法、情緒暴露法以及情緒隱藏技術，來調節生活中的焦慮情緒？

在聽書稿開篇，一定要講三個內容

（1）引題和破題

用固定語介紹要解讀的書籍後，接下來就是引題和破題，這一段不要過於冗長，破題和書籍關聯度要高，可以採用場景化描述、講故事、親身體驗等方式。開頭一、兩句話要特別吸引人，在開頭就要快速抓住聽眾的注意力。以我寫過的〈你充滿電了嗎〉這篇聽書稿為例，引題和破題，就是採用了「痛點法」。

不管是在職場，還是在生活中，我們總是可以發現有這樣一類人，他們像是鐵打的，永遠充滿活力，仿佛有用不完的精力。而有些人，卻做什麼事情都提不起勁兒來，也不願與人交往，總覺得生活很無聊。每天不是能量滿滿的狀態，而是缺乏能量的狀態。

如果你也有這樣的問題，代表你該充電了。〈你充滿電了嗎〉這本書，作者詳細講述了如何從三個方面幫自己充電，來啟動自己的人生狀態。

（2）一段話簡介書籍內容

開篇引題和破題之後，可以用一段話來介紹這本書，讓讀者對這本書有更多了解。

在寫一段話介紹整本書的核心內容時，可以參考書籍的內容簡介，同時結合自己對這本書的理解，用自己的話來描述。也要結合聽眾生活中的痛點，對書籍最精華的部分進行預告，或者是提供聽眾顛覆性的觀點，喚起其好奇心。

舉一篇我自己寫的聽書稿來作為示範，這是《一分鐘經理：每天花一分鐘，有效率的領導並激勵跟你肩並肩的夥伴》（*The New One Minute Manager*）的一段話簡介。

《一分鐘經理》這本書介紹一種簡單、高效的管理方法，被稱為一分鐘管理法。它主要有三個原則，分別是：一分鐘目標、一分鐘讚美、一分鐘檢討。一分鐘管理法，把複雜的管理變成了一件一分鐘就能完成的小事。

（3）簡要介紹作者經歷

用一段話介紹書籍後，接下來要用一段話介紹書籍的作者（有時候也可以先介紹作者，再介紹書籍）。通常在書籍的折口就是作者簡介，可以作為參考，還可以另外收集資料，對作者有更全面的了解。作者簡介不是網路百科式的介紹，儘量寫出作者在這個領域的專業累積、哪些成就、其他名人對作者的正面評論和讀者的一些有力評價等，選擇能引起讀者共鳴的素材。作者簡介部分不要太長，一段即可，最多兩個小段。

舉個例子來說明如何用一段話介紹作者，在《人類大歷史》（*Sapiens: A Brief History of Humankind*）的作者簡介，是這樣寫的。

> 《人類大歷史》的作者哈拉瑞（*Yuval Noah Harari*），是獲得牛津大學博士學位的歷史學家，人稱青年怪才。除這本《人類大歷史》外，他還出版了另外兩本全球暢銷書《人類大命運》（*Homo Deus*：*The Brief History of Tomorrow*）和《21世紀的21堂課》（*21 Lessons for the 21st Century*），三本書一起被稱為「人類三部曲」。

撰寫心智圖，建立寫作框架

聽書稿寫作的難點，就是提煉整本書的三至四個核心關鍵，並且提出相應的案例或素材來論證。聽書稿的篇幅比較長，大多是六千字以上，在正式寫聽書稿之前，建議可以先畫出聽書稿的心智圖，確認列出的書籍內容核心關鍵是否精準，寫作思路和框架是否正確。

聽書稿的內容心智圖，是聽眾的「地圖」

繪製心智圖的目的，是幫助聽眾理解這篇聽書稿的框架，歸納整篇聽書稿的核心關鍵。**心智圖並非整理全書的知識結構，而是自己閱讀完畢，消化理解後，歸納總結出來的書本內容脈絡，是聽書稿的寫作思路和大綱。**同時，聽書稿的心智圖部分，不包含開篇的一千字左右的內容。

一般聽書稿的心智圖，會分為三層：第一層是書名；第二層是三到四個核心關鍵；第三層是每個核心關鍵下面的子關鍵，一般為三個，最多不超過四個。

在提煉三個核心關鍵的時候，不需要囊括整本書的所有內容，只需要抓出三個核心，再把這三個部分的內容講透就可以。每部分的重點，可以結合書中的案例來講解。

心智圖內容要與聽書稿內容一一對應，所以我們在寫完聽書稿的內容後，要回頭修改心智圖，因為有些內容可能跟一開始撰寫的有所不同。以下舉出幾個聽書稿心智圖的例子，相信各位很快就能上手。

聽書稿的心智圖範例（1）

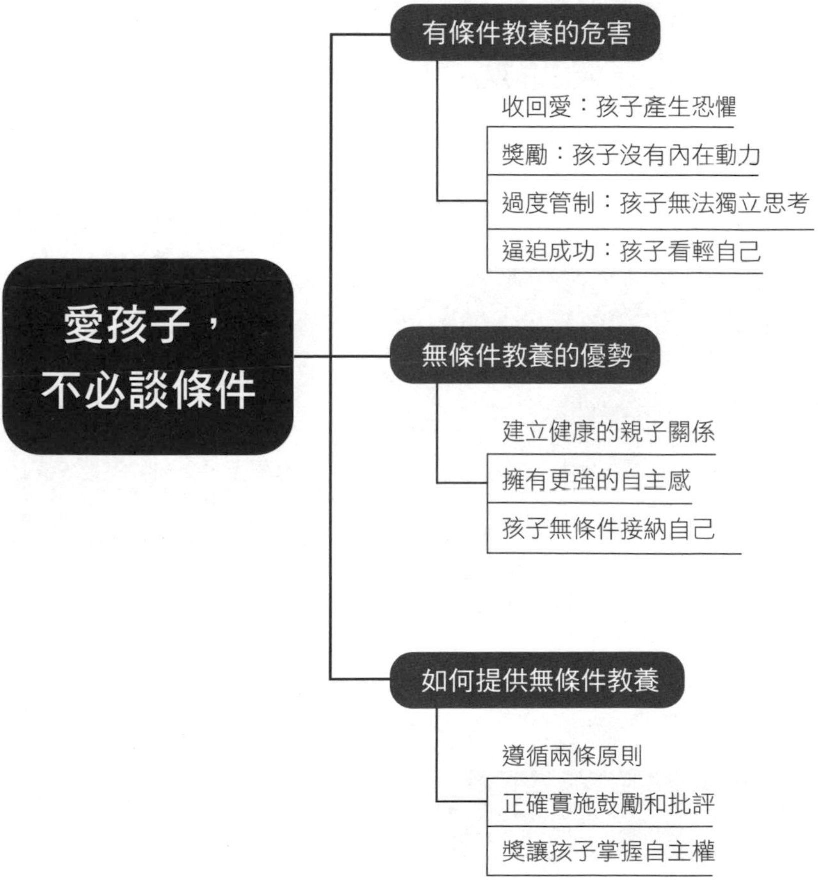
愛孩子，不必談條件
有條件教養的危害
收回愛：孩子產生恐懼
獎勵：孩子沒有內在動力
過度管制：孩子無法獨立思考
逼迫成功：孩子看輕自己
無條件教養的優勢
建立健康的親子關係
擁有更強的自主感
孩子無條件接納自己
如何提供無條件教養
遵循兩條原則
正確實施鼓勵和批評
獎讓孩子掌握自主權

聽書稿的心智圖範例（2）

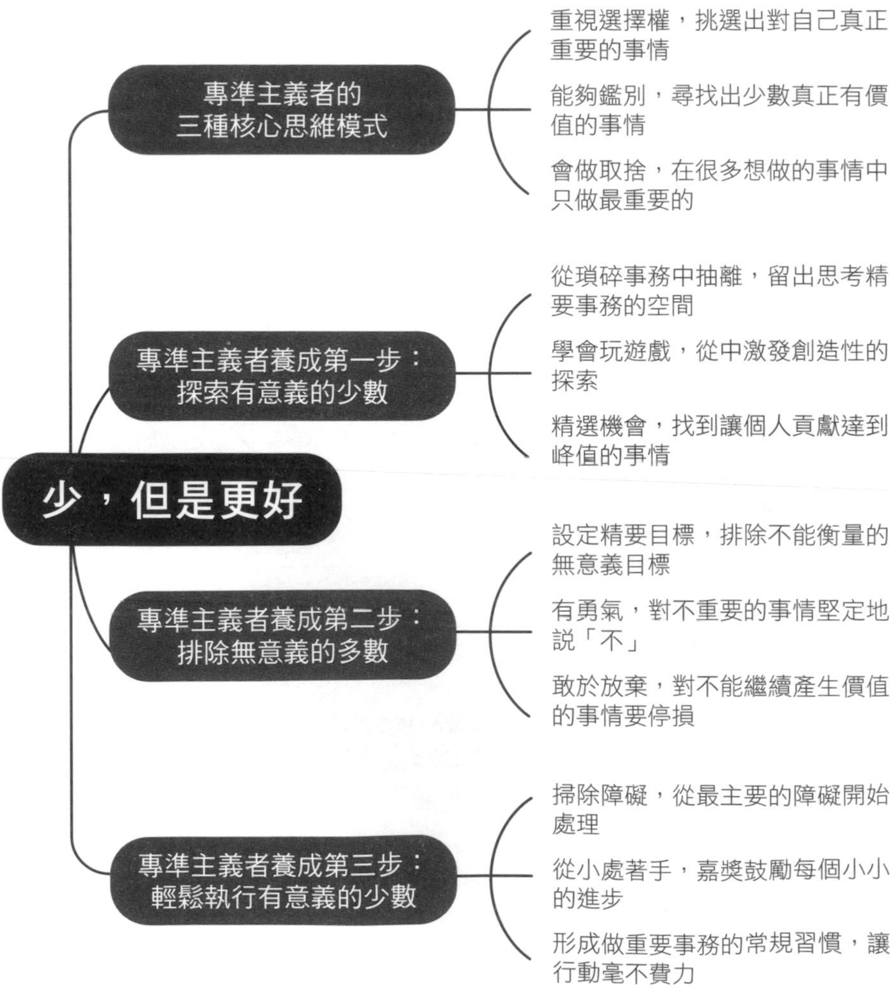
少，但是更好
專準主義者的
三種核心思維模式
重視選擇權，挑選出對自己真正重要的事情
能夠鑑別，尋找出少數真正有價值的事情
會做取捨，在很多想做的事情中只做最重要的
專準主義者養成第一步：
探索有意義的少數
從瑣碎事務中抽離，留出思考精要事務的空間
學會玩遊戲，從中激發創造性的探索
精選機會，找到讓個人貢獻達到峰值的事情
專準主義者養成第二步：
排除無意義的多數
設定精要目標，排除不能衡量的無意義目標
有勇氣，對不重要的事情堅定地說「不」
敢於放棄，對不能繼續產生價值的事情要停損
專準主義者養成第三步：
輕鬆執行有意義的少數
掃除障礙，從最主要的障礙開始處理
從小處著手，嘉獎鼓勵每個小小的進步
形成做重要事務的常規習慣，讓行動毫不費力

繪製心智圖常用三種邏輯結構

常見的聽書稿心智圖的邏輯結構，可以分為並列結構、黃金圈法則和時間順序。

採用並列的結構來寫的聽書稿，通常書籍的核心重點之間是並列的關係，例如《重來》（*Rework*）這本書，四個核心重點分別是：經營戰略中的極簡主義、行銷理念中的極簡主義、產品定位中的極簡主義、企業文化中的極簡主義。

黃金圈法則就是以3W、也就是「Why、What、How」的結構來寫聽書稿。像《鉤癮效應：創造習慣新商機》（*Hooked: How to Build Habit-Forming Products*）這本書的核心重點，就符合3W的結構：讓用戶養成習慣對企業有什麼好處？什麼是「上癮模型」？如何使用「上癮模型」？

而大部分的傳記類書籍，在撰寫聽書稿時就可以採用時間順序，像是《成為這樣的我》（*Becoming*）。按照時間順序，講述蜜雪兒．歐巴馬的故事，把她的人生分為三個階段。

第一個階段，是成為蜜雪兒・羅賓森，講述她的出生和求學階段；第二個階段，是成為蜜雪兒・歐巴馬，介紹她與歐巴馬的愛情故事、為人妻母平衡事業與家庭以及全力為丈夫助選的故事。第三個階段，是成為美國的第一夫人，敘述是在白宮生活的故事，以及如何重新找到自身定位，為改變美國作出巨大貢獻。

在繪製聽書稿的心智圖時，可以套用這些常見的聽書稿邏輯結構，讓自己的聽書稿的邏輯更清晰；而在繪製心智圖時，要避免以下四個常見的錯誤。

錯誤①羅列全書的重點，而非聽書稿的內容。

錯誤②重點歸納過於簡單，讀者看完心智圖不知所云。

錯誤③三個核心重點，沒有抓到書籍的重點。

錯誤④三個核心重點，只講解了書籍中一小部分的內容，沒有包含大部分的關鍵。

聽書稿的心智圖範例（3）

- **成為這樣的我**
  - 成為蜜雪兒・羅賓森
    - 生於貧困的工人家庭，自信努力且滿懷希望
    - 對抗種族偏見，克服自我認同焦慮
    - 進入普林斯頓大學和哈佛大學，躋身菁英階層
  - 成為蜜雪兒・歐巴馬
    - 認識歐巴馬，為理想轉投公眾服務事業
    - 為人妻母，努力平衡事業與家庭
    - 身負更大的使命，全力為丈夫助選
  - 成為美國第一夫人
    - 白宮生活光鮮外表下的束縛與無奈
    - 因直率而飽受爭議，卻從不偽裝真實的自己
    - 找到自身定位，為改變美國作出巨大貢獻

精選書籍重點並深入解析

立刻找出一本書的內容核心

寫聽書稿的難點，就是提煉和概括書籍的三個核心重點。以下的四個方法，是我整理出能快速找到內容重點的技巧，適用於各種主題的書籍。

方法一：從封面、封底、書腰等地方，尋找書的賣點，總結這本書的核心重點

一本書的賣點，通常會放在封面、封底或者書腰的文案上，來吸引讀者的注意力，如果看到合適的關鍵字，也可以作為本書的核心關鍵字。

像是《鉤癮效應》這本書，最核心的關鍵字就是「上癮」，整本書都是圍繞這兩個字展開的。找到「上癮」這個關鍵字後，我們就可以結合書籍的內容，提煉這本書的三個核心重點。接著，我們透過三個問題（前面提過的3W）來解讀這本書：

（1）讓用戶養成習慣對企業有什麼好處？（2）什麼是「上癮模型」？（3）如何使用「上癮模型」？

而《童年的消逝》（*The Disappearance of Childhood*）這本書，最核心的關鍵字就是書名「童年消逝」這四個字。找到「童年消逝」這個關鍵字後，就可以結合書籍的內容，提煉這本書的三個核心重點：

（1）童年是如何產生的？（2）童年是如何消逝的？（3）如何避免童年的消逝？

方法二：總結內容特色，概括這本書的精華內容

《改變人生的持續術》（30日で人生を変える続ける習慣）的最大特色，就是詳細介紹了養成習慣的三個階段，以及如何用科學的方法度過這三個階段，看完這本書後，令我印象非常深刻。

我寫過這本書的聽書稿，並且刊登在一書一課平台，書中的三個核心重點如下：（1）什麼是習慣，為什麼我們總是三分鐘熱度？（2）如何用科學的方法，度過培養習慣的三階段？（3）培養習慣需要注意的三個原則。

方法三：以提問的方式，挖掘這本書要解決的核心問題

每一本書都有自己的使命，每本書的作者都是要解決一個核心問題；找出這個問題，以一句話介紹這本書的核心內容。

以《黑匣子思維》（*Black Box Thinking: Why Most People Never Learn from Their Mistakes-But Some Do*）為例，這本書主要講的是失敗，作者要解決的核心問題是「如何正視失敗，並從失敗中學習？」本書的三個核心關鍵，也是圍繞這個核心問題來展

開的：

（1）對待失敗有哪些不同的態度？（2）如何正確對待失敗？（3）如何從失敗中學習？

方法四：合併內容中的同類項目，總結提煉書籍重點

有些書的資訊量太過龐大的話，可以將這些內容分類成三至四個大項目，或者是總結概括。

例如《銷售聖經》（*The Selling Process: A Handbook of Salesmanship Principles*）這本書，作者整理出一百多項行動指南，資料龐大。我們可以進行整合，把銷售過程劃分為：銷售前、銷售中、銷售後三個階段，再從劃分出三個階段中選擇幾項重要的行動指南來執行和運用。學員露西小魚刊登在一書一課的聽書稿的三個核心內容是這樣寫的：

（1）在銷售之前需要做哪些準備？（2）在銷售過程中如何有效進行表達？包括自我介紹、提問、陳述和應對拒絕的方法等。（3）在成交之後，如何利用人脈資源

獲得更多的成交？

解析重點內容，一定要「舉例」和「解答」

找出書籍的三個核心重點後，接下來就是詳細解讀每一個重點內容，這是聽書稿寫作的重點。而解讀重點內容，是以「論點＋論據」的方式來撰寫。

確定聽書稿的三個核心觀點後，選擇案例來解讀，或者是向聽眾介紹書中的方法、原理。**在解讀每個重點的時候，要用具體的例子來解釋觀點、方法或步驟。**

案例可以來自我們所解讀的書籍，或者是過去收集的可靠素材，像是從其他書籍、紀錄片等，而這些題材一定要是可靠的管道取得，自己也要再核實過。

選擇案例時，要挑選典型的例子，儘量是從書中選擇素材和例子，用自己的話轉述，不要直接照搬原文內容。接下來我會介紹一些技巧，具體講解如何解讀書籍的重點內容。

方法一：確定核心觀點，選擇案例來解讀或者證明

有一些書籍裡，作者會提出一些獨特的觀點，並舉例子來詳細論證。在寫聽書稿的時候，可以直接引用，作為解讀作者的獨特觀點，並且也要用具體的例子來論證。

例如《重來》這本書，在解讀第一部分「經營戰略中的極簡主義」時，就可以從書中篩選合適的案例來論證。透過這個例子，可以了解到什麼是經營戰略中的極簡主義。

在經營戰略上，37signals公司的極簡主義思想最重要的精髓就是小規模。這家公司的創始人也就是本書的作者傑森（Jason Fried）在被採訪時說：「我希望公司慢慢地、謹慎地、系統地成長，而不是為了變大而變大。」

在招聘員工時，37signals公司相當謹慎，他們時時提醒自己：如果不招人會怎麼樣？這項額外的工作真的帶給我們很大負擔嗎？我們能不能用一套軟體或者改變一下操作來解決這個問題呢？如果有人離職了，他們也不會立即招人來頂替，而是看看如果沒有人在這個職位上，自己能堅持多久，等到實在受不了再招人。因此，直到現在，

他們的公司也只有四十幾名員工。

方法二：用具體的例子來說明核心的方法或者執行步驟

有很多實用類的書籍，會詳細介紹一些方法、模型或者是步驟。在寫聽書稿的時候，也可以結合案例來說明。例如《鉤癮效應》這本書，聽書稿的第二個核心重點主要講的是「上癮模型的四個步驟」。在解讀每一個步驟時，可以舉出具體的案例。

上癮模型中的第二步：行動，讓使用者開始使用產品。

書裡說，有兩個機制能讓用戶開始行動，一個是動機，一個是能力。動機就是讓用戶有足夠的願望來使用產品，能力就是讓使用者能輕鬆駕馭產品。

舉個例子，我們平時走在百貨公司裡有時會拿到幾張優惠券，假如今天你接到了三張折價券：第一張上面寫，高爾夫球場開業，八折優惠！第三張優惠券是超市大回饋，牛排價格打六折，你呢，正好最喜歡吃的就是煎牛排。一看地址，這超市就在你家附近，走路五分鐘就到，那還等什麼呢，立馬就去搶購了！這就是既有動機又有能力。

從這個具體的案例，我們清楚了解，讓用戶行動的兩個機制：「動機」和「能力」，以及什麼情況下，是既有動機又有能力。

方法三：從書中尋找解決方案，解決用戶痛點

在許多實用類的書籍裡，作者都列出非常多的方法和解決方案。我們在閱讀實用類書籍時，可以刻意去尋找這些解方，並在聽書稿裡詳細介紹給聽眾用戶。

就像《一分鐘經理》這本書，主要講的是如何透過一分鐘管理法的三大原則，簡單高效地管理員工。閱讀這本書時，就要找到書中的解決方案：如何設定一分鐘目標、如何進行一分鐘讚美、如何進行一分鐘檢討。以「一分鐘讚美法」為例，來詳細講解書籍中提供的解決方案。

> 一分鐘讚美的方法：當一分鐘經理發現下屬做對了一件事後，就會給他一分鐘稱讚。他會明確告訴你這件事對在哪裡，告訴你他感到很高興，他會停一會兒讓你好好感受一下，然後鼓勵你繼續保持，再多稱讚你一下。

要進行一分鐘讚美，你只要做到以下兩步。

在前半分鐘，要及時稱讚下屬，告訴他們對在哪裡，要說得非常具體。告訴他們這件事做對之後，讓你感到非常高興，對整個團隊和同事會有多大幫助。然後停頓一會兒，沉默幾秒，讓他們靜靜地體會做對事情帶來的喜悅。在後半分鐘，鼓勵他們以後繼續這樣做。明確說明你對他們有信心，並會支持他們獲得成功。

如果你在職場擔任的是管理階層，就可以運用《一分鐘經理》的三個原則，來管理員工。就像一分鐘經理的座右銘：「我最好的投資，就是把時間花在人身上。」

聽書稿文章拆解和分析

接下來我舉一個具體的例子，一起來拆解聽書稿文章。

因為聽書稿的篇幅大多是六千字以上，以下截取聽書稿的開篇內容，第一個重點內容的第一個知識點，以及結尾總結回顧的部分，展示聽書稿的結構。

《心態致勝》聽書稿（節選）　解讀人：曉傑

你好，歡迎來到「弘丹早起讀書會」，早起讀書，終身成長，我是主播維亞。

第一段話，是「弘丹早起讀書會」的固定開篇語。

今天為你解讀的書是《心態致勝》，為你講解書中的精髓：如何培養成長型思維，實現終身成長。解讀人是「弘丹寫作社群」作者曉傑。

相信大家都聽過這句話：「成功是一時的，成長是一輩子的。」是呀，尤其在這個飛速發展的時代，即使取得了成功，也要不斷成長，不然很容易止步不前，被社會淘汰。

那麼決定我們成功的關鍵因素是什麼?有人會說是天賦，也有人說是智力，還有人可能會說是情商，但是美國史丹佛大學心理學教授卡蘿・杜維克（Carol S. Dweck）博士告訴我們，人類能否獲得成功的決定因素既不是能力也不是天賦，而是思維模式。

作為人格心理學、社會心理學和發展心理學領域內公認的傑出學者之一，杜維克博士經過數十年研究發現，人類的思維模式有兩種，一種是固定型思維，

第二段話，是介紹今天解讀的書籍，以及一句話概括書籍的精華。

引題和破題，用一句俗語切入主題，引出成功和成長這個話題。

用提問的方式，吸引用戶的注意力。成功是每個人所追求的，那成功關鍵的因素是什麼？相信許多讀者都想要知道答案。

另一種是成長型思維。正是這兩種思維模式決定了我們能否有所成長，獲得成功。

那麼，這兩種思維模式會對人們的生活乃至整個人生產生什麼影響呢？怎樣才能培養成長型思維模式呢？這些問題，都可以在《心態致勝》這本書中找到答案。

這本書占據美國亞馬遜心理類暢銷榜十年，曾經受到《時代週刊》《早安美國》《華爾街日報》的熱議，是影響美國一代人的心理勵志之作。

作者卡蘿．杜維克博士，現任史丹佛大學心理學教授，是美國藝術與科學院院士。她對於「成長型思維」有突破性研究，因而榮獲了全球最大教育單項獎「一丹獎」。

引入這篇聽書稿的核心內容，固定型思維和成長型思維。

對《心態致勝》簡單的介紹，及其專業地位的介紹。

用一段話介紹作者，是史丹佛大學心理學教授，是院士，並且因為「成長型思維」獲獎。這個獎項跟本篇聽書稿緊密相關，加入這個介紹，可以讓用戶看到作者是有傑出貢獻的專家。

今天，我們將從三個部分來了解本書的精華內容：第一部分，兩種思維模式的區別和帶來的影響。第二部分，成長型思維如何促進不同領域人們的成長？第三部分，怎樣培養成長型思維，實現終身成長？

第一部分：不同的思維模式帶來不同的認知和生活態度

透過前面的介紹，我們已經初步了解了固定型思維和成長型思維有著本質的區別，正是這些區別會使不同的人產生不同的想法和行為，進而給人生帶來不同的影響。杜維克在書中從三個方面來闡述了這個問題。

第一，擁有兩種思維模式的人對能力的認知不

概括介紹這篇聽書稿會重點介紹的三個核心內容。

第一個核心觀點，用三個子觀點來解讀。從三個方面來介紹固定型思維和成長型思維的區別。

第一個子觀點，固定型思維和成長型思維，對於能力的認知不同。

同。

固定型思維者認為人們的能力是一成不變的，尤其是人的某項特長，絕對是生來就有的，而且，他們認為只要有天分就能成功，不用再付出更多的努力。

結合書籍中對於固定型思維和成長型思維的定義模式，來解讀不同思維方式的人對於能力的認知不同。

而成長型思維者卻認為能力是可以不斷提升的，相比於天賦，後天的學習或努力更重要，哪怕是天才也需要努力才能成功。

究竟哪種思維模式是正確的呢？我們來看下面兩個例子。

用具體的例子，來解讀具體的區別。

北宋文學家王安石寫過一篇文章名叫《傷仲永》。故事中的主人公方仲永無師自通，五歲就能提筆寫詩，被大家稱為神童。有人花錢求取仲永的詩，父親覺得有利可圖，就每天帶著他四處作詩，不讓他學習，慢慢地，仲永作詩的才能消失了。這就是固定型思維導致的悲劇。

> 這個例子不是書籍裡的，讓我們看到不學習、不成長，即使是天賦異稟，也會泯然眾人矣。

我們再來看另一個故事，匈牙利的波爾加家族培養出了三名最傑出的女性象棋大師，其中，最小的女兒茱迪（Polgár Zsófia）一開始並不是最有天賦的，起步很慢，但是父親和她自己始終認為：「天生的才能沒有用，這個成功是靠百分之九十九的辛苦努力得到的。」裘蒂特是這麼想，也是這麼做的。她非常努力，每天要下八到十個小時的棋，最終成為當今最出色的象棋手之一。裘蒂特和父親的想法是典型的成長型思維。

> 這個例子是《刻意練習》這本書裡提到的，《心態致勝》和《刻意練習》對於能力的理解異曲同工。用這個例子，來說明能力是可以透過後天的努力逐漸培養。

這兩個故事告訴我們，有天賦只是基礎，要想取得成就，後天的學習是必不可少的。

……

好了，以上就是今天要講的全部內容。我們再次回顧一下：關於如何培養成長型思維，實現終身成長問題。

第一，兩種不同思維方式的人們表現不同，固定型思維者認為能力是一成不變的，總是想去證明自己，比較關注一時的成敗結果；成長型思維者認為透過努力可以提升能力，不給自己設限，不斷成長進步。

第二，……

第三，……

以上就是《心態致勝》這本書的精彩內容，恭喜你又聽完了一本書。

聽書稿寫作的第六步，總結回顧，對三個核心知識點作整體的回顧。

用一段話來總結和回顧，帶著聽眾回憶剛剛聽到的核心內容，加深印象。

> 這裡是「弘丹早起讀書會」，讓我們一起早起讀書，成為終身學習者和終身成長者。我是主播維亞，我們下期再見。

最後是固定語結尾。

這是《心態致勝》的聽書稿文章，刊登在「弘丹早起讀書會」的聽書專欄，受到許多聽眾的喜愛。我要不厭其煩地強調，寫聽書稿最難的就是提煉出書籍的三個核心內容。這篇聽書稿的作者，使用的是「結合核心」的概念，以合併同類項目的方式，抓到這本書的三個核心重點。

從書籍的第一章、第二章和第三章，提煉出了第一個核心內容：「兩種思維模式的區別和帶來的影響」，接著從書籍的第四、五、六、七章，提煉出第二個核心內容：「成長型思維如何促進不同領域人們的成長」，分別介紹了在體育、商業、人際關係、教育等領域中成長型思維的應用。

《心態致勝》的聽書稿心智圖

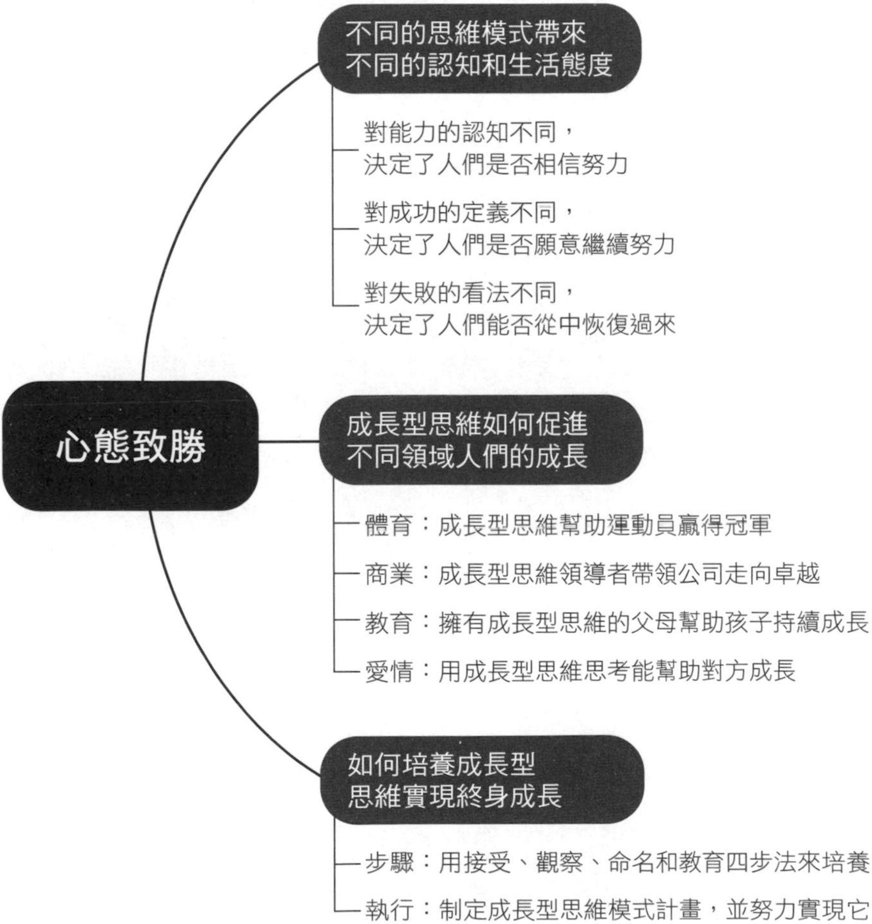
心態致勝
不同的思維模式帶來
不同的認知和生活態度
對能力的認知不同，
決定了人們是否相信努力
對成功的定義不同，
決定了人們是否願意繼續努力
對失敗的看法不同，
決定了人們能否從中恢復過來
成長型思維如何促進
不同領域人們的成長
體育：成長型思維幫助運動員贏得冠軍
商業：成長型思維領導者帶領公司走向卓越
教育：擁有成長型思維的父母幫助孩子持續成長
愛情：用成長型思維思考能幫助對方成長
如何培養成長型
思維實現終身成長
步驟：用接受、觀察、命名和教育四步法來培養
執行：制定成長型思維模式計畫，並努力實現它

最後從書籍的第八章，提煉出第三個核心內容：「如何培養成長型思維，實現終身成長。」因此，聽書稿的三個核心關鍵，就概括為以下的要點：

（1）兩種思維模式的區別和帶來的影響是什麼？（2）成長型思維如何促進不同領域人們的成長？（3）怎樣培養成長型思維，實現終身成長？

第一部分的重點解讀，是兩種思維模式的區別和帶來的影響。聽書稿作者結合書籍的內容，分別從對能力的認知、對成功的定義、對失敗的看法這三個方面的不同，來闡述兩種思維模式的不同。

每一部分，都結合了書籍裡的素材和案例，還聯想到了其他的素材和案例，就像王安石寫的《傷仲永》的故事。用具體的素材和案例來論證核心觀點。

這篇聽書稿的邏輯也非常清晰，每部分的結構一目了然。同時，寫作者舉了豐富的案例，來論證文稿的三個重點內容。大家可以參考這篇的寫作方法，來寫自己的聽書稿文章。

第6章

直播變現：

從平面文字到
真人影音創作

素人如何從零開始經營影音頻道

順勢而為，抓住短影音和直播的紅利期

短影音和直播是重要的時代趨勢，把握這兩大類影音的紅利，成為一位說書型主播，是一般人彎道超車的機會，同時也是讀書變現的方式之一。

5G時代，使用者已經習慣看短影音和直播，**用戶的注意力在哪裡，我們就要去哪**

個平台創作使用者喜歡的作品。短影音成為人們記錄日常生活的工具，涵蓋生活、美食、影視娛樂、育兒等各方面。

從二〇一五年到二〇二〇年，我是以新媒體文章為主的內容創作者。二〇二〇年，微信推出了短影音功能的帳號平台「視頻號」，我也加入了短影音創作和直播分享，同樣取得了不錯的成績。

二〇二〇年，我的影音帳號被評選為「作家榜TOP50」，隔年則被評選為優質內容創作者，也收到官方邀請，直播多次上線「八點一刻」大咖聊知識的活動。我的直播主要在讀書和職場為主題的專場，跟大家分享讀書的方法和打造職場硬實力。

很多寫作營的學員從來沒有嘗試過製作短影音或直播，因為參加了我的直播訓練營，終於敢於邁出第一步開始行動，做出了不錯的成績。

像是年度會員古京麗，是一位資深的領導力發展顧問，原本是以線下培訓為主，參加了直播訓練營後，轉型成線上線下相結合模式。她從零開始做「視頻號」，成為職場領域分類的TOP10帳號，透過線上直播和講課，連續六個月線上變現六位數，二〇二一年業績翻倍。

另外一位學員貝優燕子，也是從零開始做直播，累計開了一百多場，單場直播最高線上觀看人數達兩萬多人，透過直播帶貨達到變現；除了帶貨之外，還有學員在努力經營之下成為生活領域主題的TOP10帳號，讓多個廣告商主動來尋求合作，獲得了廣告收入。

許多人不敢邁出拍影片和做直播的第一步，因此我在社群中組了影片和直播戰隊。僅二〇二二年二月，直播戰隊累計完成一百六十二場直播和一百二十八支影片。參與戰隊的學員，大幅提升了自己的行動力，也取得了不錯的成績。

在這個年代，想要成功將知識變現，要以成為全方位的內容創作人為目標。我擅長文字和圖文創作，音訊和影音創作也難不倒我，直播說書和講課更是已經成為日常。在年度會員社群，我的目標也是把學員們培養為全方位的內容創作人，不僅擅長文字創作、寫作，也擅長用影音呈現自己的作品和知識內容。

成為全方位的內容創作人，可以實現複利式創作，一舉數得。同一個主題的內容，可以寫成文章、做成圖文、剪輯成短片，還可以做一場直播分享。多種創作方式，多次觸及不同的使用者，把內容的價值發揮到最大。**創作優質內容的原則是相通的，而**

在各種領域永遠都缺乏優質的內容，你我皆有機會。

TIPS

不要只是看短時間內做影音創作帶給自己的收益，而是要去看三、五年後帶給自己的價值。從長期的眼光看，短影音和直播大有可為，一定要躬身入局。順勢而為，更容易取得成功，也容易做出成績。

突破「真人入鏡」的心魔

許多人會覺得創作影音和開直播比較難，不敢開始，也不敢真人出鏡。其實，當你真正開始了，會發現恐懼都是自己想像出來的。跟大家分享三個方法，突破影音創作的內心阻礙。

方法一：先做就對了！「敢」比「會」更重要

不要覺得沒有做過，就不敢嘗試。我們要「把背包丟過牆」——先註冊一個影音頻道帳號，接著設定直播預約，再想辦法開啟自己的第一場直播。

其實，我們並不是害怕直播本身，而是害怕外界對我們的評價。事實上每個人都很忙，並不會那麼時時關注你，也不一定有時間來看你的直播。

直接行動可以解決內心的恐懼和害怕，設定第一場直播的主題和時間。當你開始之後，會發現這不僅一點也不難、還挺好玩的！相信你會愛上直播。

方法二：拍短片比寫作更容易

短影音的創作並沒有那麼難，口播類的影音創作，比寫作更容易，也更適合普通人。寫一篇文章，至少是一千五百字，從選題、收集素材、撰寫初稿和修改定稿，至少需要兩、三個小時。而一支一分鐘的影片，腳本大概是兩百五十到三百字，很容易撰寫。

把撰寫腳本、拍攝、剪輯、發布等形成固定流程，並批量操作，速度會越來越快，效率也更高。我通常會一次拍攝好幾支短片（八到十支），大概需要兩到三個小時。拍攝一次，就夠兩週的發布內容了。

方法三：透過直播鍛煉表達能力

直播的門檻更低，只要你有一部手機，隨時可以開播。很多人直播的一個關卡是不敢露臉，怕自己不夠好看。其實，現在很多直播都有美顏功能，可以套用濾鏡；而如果不想被同事、朋友、同學等熟人看到自己在直播，可以申請一個新的帳號，專門用來經營直播說書用。

一開始直播，先不用想著要實現變現，就把直播當作鍛煉自己演講表達能力的實戰。能力比結果更重要，不要僅僅只關注直播的資料、直播帶貨的表現，更要關注自己能力的提升。

TIPS

不管是閱讀、寫作還是短影音創作，都要有長期主義思維，要有耐心，期待美好的事情發生。用「成長型的心態」來做直播，我們關注的是自己的成長，而不是只看結果。

吸引觀眾看完並轉發的兩分鐘說書短影音

我們可以從創作讀書類的影片，成為一位多元讀書部落客。用短影音的方式，為使用者推薦好書、分享好書，影響更多人愛上讀書。

說書影片的腳本文案基本架構

跟讀書相關的短影音選題是非常豐富的：可以是好書分享或推薦，也可以講解書籍的核心重點，還可以分享主題書單等。

讀完一本書，既可以寫書評、拆解稿和聽書稿的文章，還可以拍短影片及直播說書，用多種形式解讀書籍的核心內容，或把自己寫過的文章進行提煉和改編，拍成多支短片。

我製作了一份短影音創作的流程表，可以運用這個表單，來構思腳本文案的內容。接下來就分別說明表單的項目內容，以及如何設定選題。

①確定影片主題：暢銷、熱門書籍優先

「選題」是創作影片的關鍵，選題對了，影片就成功了一半。題材有一定的程度上會決定影片的播放量，熱門的選題，播放量就會比較高。

在選題上，我們可以優先選擇目前當紅的書籍，或者跟最近的議題相關的書。選擇那些能解決用戶問題和痛點的內容，或是從你自己特別喜歡、能為你帶來巨大改變的書籍中尋找。

②撰寫開頭：善用有吸引力的開頭方法

確定好選題後，就可以開始撰寫腳本文案。短影音的文案字數，通常在兩百五十到四百字之間，影片時間則介於一分鐘到一分半鐘。在寫文案時，一定要簡短精練，不要太囉唆。

影片開頭的第一秒非常重要，這被稱為「黄金一秒」；開頭的第一句話一定要非常吸引人，立刻抓住用戶的注意力。

開頭可以用「戳中痛點法」，描述一個場景或者用戶的痛點，引起共鳴；或是用「提問法」，開頭就提出問題，引發讀者的思考和好奇心；也可以用「故事帶入法」，講述故事吸引讀者；還可以透過當時的熱議話題，吸引使用者的注意力。

③撰寫核心內容：簡短清楚的重點

這是短影音文稿中最重要的部分，可以講兩到三個核心重點，為用戶帶來新的認知，或者是提供高價值，讓用戶有獲得感。

短片的字數雖然比較短，但結構也要非常清晰；常見的結構有總分總結構、並列式結構、漸進式結構、黃金圈3W法則（Why／What／How）結構等。確定好結構，在寫核心內容時，每個重點一、兩句話，每句話都要簡單清楚並且精練。

④撰寫結尾：引導觀眾和影片互動

影片「結尾」的重點，是要給用戶留下深刻的印象，讓他們願意轉發和評論。結尾可以用總結點題的方式，概括總結影片的核心思想、呼應標題；或者是用金句結尾法，來強調核心觀點，吸引用戶轉發評論；還可以用引導行動結尾法，呼籲用戶行動和轉發。

寫好腳本文案後，一定要多讀幾遍，一邊讀出聲一邊修改，注意要用口語化的方式來講述，避免較為拗口的書面文字。先寫好腳本文案、再拍攝影片就容易很多，效率也更好。

⑤ 發布影片後，統計資料和覆盤

影片拍攝、剪輯、發布後，要自己主動擴散影片，轉發到朋友圈、粉絲群等，提高觀看量和按讚數。同時，也要統計影音發布後的資料，包含觀看量、按讚數、轉發數、評論數等，透過分析資料來改善影片的選題、內容和拍攝。

結合以上五個步驟，就知道該如何製作一支好的影片了。我以自己的一份影片腳本作為範例，提供你在拍攝短影音創作的選題參考。

短片創作選題表（作者填寫範例）

推薦書籍：《驚人習慣力》
選題類型：推薦好書

拍攝形式：口播
腳本字數：269

主題

迷你習慣，實現大目標
每天寫 400 字，會發生什麼改變

開頭

每天早起寫作，我已經堅持了五年多的時間。寫完文章，我會看一會兒書。

核心內容（2～4 個點）

1. 有一位讀者留言給我，接下來的一個目標，是在 100 天的時間裡，讀完 10 本書，寫 100 篇書評，並且錄製 100 則說書的影音。
2. 我們在設定目標的時候，不要訂出那麼困難的目標，應該是小步快跑，不斷反覆運算的方式。這就是《驚人習慣力》書中講到的。
3. 《驚人習慣力》的作者，從每大做一個伏地挺身開始，改變了自己的人生。
4. 不管是讀書還是寫作，我們都可以從設置一個非常小的目標開始。例如，每天寫 100 字，每天讀一頁書。

結尾

目標非常容易實現，你做的時候就毫不費力。
我們在設定目標的時候，可以採用迷你習慣的方式，從每天 1 分鐘開始。

影片數據統計

觀看量：1.7 萬
轉發數：87

按讚數：323
評論數：220

我再分享一篇跟讀書相關的腳本文案，這個是「觀點輸出」型的。標題：〈讀書，是最低成本的高貴〉／觀看量：兩萬／按讚數：四二二。拍攝腳本三百個字，以口播和 Vlog 相結合的形式拍攝。

我們為什麼要讀書？因為讀書是必備的生存技能。你遇到的任何困難，都可以在書中找到解決方案。

即使工作再忙，我也會利用早起的時間，在書桌前讀書。

讀書，對我來說，是一種享受。再好的學區房，也比不上你家裡的書房。

我的寫作社群有很多媽媽，她們在社群的影響下，愛上了讀書和寫作，也帶著孩子一起讀書。

有的學員孩子只有兩歲，已經看了一百多本繪本了。

父母身體力行，自己真正熱愛閱讀，才能影響孩子喜歡閱讀。

開始寫作之後，因為要不斷地輸出，我每年的閱讀量都在一百本書以上。

讀書，讓我有源源不斷的寫作素材。讀完書之後，我還會寫書評、拆解稿、聽書稿，讓讀過的書發揮出十倍的價值。

> 讀書是普通人逆襲、突破階層固化最低成本的一條路。

短影音也是展示個人品牌故事的絕佳利器，透過一則自我介紹的影音，讓讀者和粉絲了解你是誰、你的優勢。我在「弘丹說書個人品牌」的影音帳號，發布了一段自我介紹的影音，用「口播＋圖片」的方式介紹自己，並將這段影音置頂，只要使用者進入我的帳號主頁，就會先看到這支影片，可以快速了解帳號主人是誰。

影片的內容是要讓用戶了解你的成長經歷和故事，很多部落客以這個題材所創作的影片，觀看量和按讚數都很不錯。

我發布的〈一個普通女孩的十年〉，有八點五萬的播放量，兩千四百一十二個讚，影片長度一分五十秒，腳本五百五十八個字，是以圖片＋文字的方式呈現的。

除了成長經歷之外，主題也可以講述自己的改變故事。我用影音的方式，講述了自己六點早起寫作的經歷，有六點七萬的播放量，一千五百七十三個讚。

> **TIPS**
>
> 講述自己故事的影片，或者觀看量和按讚數比較高的影片，可以在主頁置頂。用戶進入你的主頁，首先看到的就是你的個人品牌故事，可以快速了解你，以及這個帳號的定位和分享的內容。

拍攝口播類影片的影音剪輯流程

口播類型的影音是最容易創作的影片形式，拍攝和剪輯都很簡單。讀書類的短影音，可以用口播的形式為主，跟用戶分享書籍的核心內容。從書中挑選出容易引起用戶共鳴的重點，用自己的話解讀，也可以結合用戶的痛點，分享書中的方法。基於書籍的影片創作，有源源不斷的素材，同時也能為讀者帶來價值和收穫。

拍攝的時候，選擇一個安靜的空間，以書架或者是背景布作為拍攝背景。也可以選擇書店、咖啡館等外景作為拍攝的空間。

在拍攝前，要提前寫好腳本，用手機或者相機拍攝。如果是外景拍攝，儘量用收音器來收音，讓影音的音質更清晰。拍攝時可以自拍，也可以請他人幫忙拍攝。

每次拍攝影片都要化妝、搭配服裝等，前期的準備很花時間。我們可以大量拍攝，一次拍五到十支影片，完成一到兩週內要發布的影片。

一次拍好一批影片，再利用空檔來剪輯。調整影片尺寸，設置影片的背景顏色，剪掉不合適的片段，配上字幕和背景音樂等。剪輯好影片後，再逐一發布到各大平台。

結合剪輯影片的步驟，我做了一份流程表，你可以作為參考和檢查清單。

剪輯影片流程表

1 ▶ 導入影片到剪輯軟體。

2 ▶ 調整影片尺寸和比例

3 ▶ 設置影片背景顏色，例如白色等。

4 ▶ 調整影片上下的空間，影片居中，上面留空放標題，下面留空放字幕。

5 ▶ 添加字幕，可使用自動識別語音的功能。

6 ▶ 結合字幕，剪輯影片內容，刪除講錯或不要的內容，也可以加一些特效。

7 ▶ 設置和調整字幕的字體、顏色、大小，統一修改錯別字等。

8 ▶ 調整影片的音量，加入背景音樂。

9 ▶ 設定影片封面圖，添加影片標題，或加入固定的結尾影片。

10 ▶ 從軟體匯出影片，保存在手機。

11 ▶ 在影音平台發布影片，寫影片簡介，添加其他個人平台。

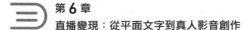

直播流程三階段的完整解析

觀看直播已經成為許多人日常生活的一部分，而每個人都可以打開社交ＡＰＰ的功能開始直播，這也是一般人經營影音帳號比較容易和省時的方式，透過直播打造商業循環，實現變現。

雖然直播已經成為現代人的日常娛樂，但我們不能隨意打開ＡＰＰ就開始漫無目的的直播，而是要在事前精心策劃，讓每場直播發揮出最大的效益。

完整直播流程的基本功

我們可以把直播分為直播籌備期、直播執行期、直播覆盤期三個階段。

第一階段：直播籌備期

① 訂出直播目的

每一場直播，都要有明確的目的，通常可分為三種：**直播漲粉、直播引流、直播帶貨**。每一場直播圍繞一個目的，後續的內容準備都要以此為主。

同時也要清楚地設定目標客戶（TA），他們感興趣的話題有哪些、痛點是什麼等。結合對TA的設定來規劃直播的主題和內容。如果是直播帶貨，要選擇合適的帶貨商品，提前上架商品到小商店。

② 準備直播內容

每場直播，都要有明確的主題、時間、核心內容、確定分享嘉賓和他要分享的內容。一場直播可以分為四個階段：開場互動、內容分享、互動引流、預告下一場直播和結尾總結。

我提供之前參與過的直播流程給大家作為參考，這場在「八點一刻」的直播沒有導購任何商品，因此流程中會以內容分享為主。

③設計文宣

確定好直播內容後，接下來就是設計直播的文宣，要素包含直播主題、個人形象照、個人的三個標籤、直播亮點、直播時間、直播地點以及平台帳號的QRcode，讓觀眾和用戶一掃進去就能設定提醒直播的時間。

④直播預告

每場直播之前，一定要進行預告，增加設定提醒直播的人數。設置好預告後，可以在個人頁面宣傳、在社群發布文宣等等。

開始直播之後，最重要的就是觀看人數，人數越多，才越有將影片擴散出去的機會，事前無論是貼圖文預告，或者是讓觀眾和用戶設定提醒直播時間，宣傳方面都要盡量做滿。

時間	長度	人員	內容	互動形式
				• 每個環節之間會抽獎一次，贈送《精進寫作》簽名書、隨機覆面書等禮物
18:10	5 –10m	弘丹	開場暖身	• 和粉絲打招呼 • 簡單介紹今天的直播內容
18:15	15m	弘丹	正式開場	• 歡迎粉絲來到直播間 • 介紹今天的直播主題以及引導粉絲互動 • 互動：如何來制定 2022 年的閱讀計畫
18:30	30m	弘丹	普通人為什麼一定要讀書，讀書會帶來什麼樣的收穫？	•〈弘丹分享〉一般人為什麼一定要讀書，讀書會帶給我們什麼樣的收穫 • 讀書改變我們的思維，讀書提升職場軟技能，讀書讓我們的人生不寂寞 • 以書籍《心態致勝》為例，來說明讀書帶給我們的改變
19:00	30m	弘丹	每天 10 分鐘，讓讀書改變生活	•〈弘丹分享〉10 分鐘讀書法，每天利用零碎的時間讀書，讓讀書成為生活方式， 讀書改變生活 • 以《小狗錢錢》(*Ein Hund Namens Money*) 為例，來講解 10 分鐘閱讀法
19:30	30m	弘丹	費曼學習法，以教代學的讀書法	•〈弘丹分享〉費曼學習法，以教代學的讀書法 • 介紹什麼是費曼學習法，以及如何使用費曼學習法 • 以《拆掉思維裡的牆》為例，來講解費曼學習法
20:00	30m	弘丹	輸出反推輸入，讓你讀過的書發揮 10 倍價值	•〈弘丹分享〉輸出反推輸入，讓你讀過的書發揮 10 倍價值 • 以《有錢人和你想的不一樣》為例，來講解輸出反推輸入，讓你讀過的書發揮出 10 倍的價值
20:30	20m	弘丹	總結和粉絲互動	• 總結今天的直播主題和分享內容 • 跟粉絲互動，帶大家一起覆盤和評論區回覆
20:50	5m	弘丹	結束語	• 感謝粉絲的陪伴支持 • 引導大家關注「弘丹寫作」帳號，一起終身閱讀、終身成長

⑤用具準備

每場直播時，無論目的是什麼，都需要準備一些道具。如果有抽獎，禮物最好是能有實物的展示。而直播過程中會使用的小道具，包含手板和背板等，都要提前設計製作、印製完成。

第二階段：直播執行期

①開播前檢查清單

開播前，在直播的場地準備好布景、燈光、直播支架、充飽電的手機等，需要用到的道具放在自己（主播）的身邊，方便隨手取得。

接著上傳直播的海報作為封面圖，填寫直播主題。直播的封面圖重點在今天的主題和開播的時間，每次開播前都要再次檢查，不要遺漏重要的環節。

②直播的流程

直播流程可以結合在籌備期所撰寫的直播腳本，按照準備的內容來進行分享，除此之外，也要在過程中增加粉絲黏著度和導購銷售等內容。

準備直播的三大流程圖

直播籌備期

訂出直播目的
- 直播目的
- 日標客戶
- 導購商品

準備直播內容
- 直播時間
- 直播內容
- 分享嘉賓
- 直播腳本

設計文宣
- 直播主題
- 個人形象照
- 三個標籤
- 直播亮點
- 帳號 QRcode

直播預告
- 設定直播
- 預告
- 宣傳
- 提醒直播

商店上架商品
- 確定帶貨商品
- 商品封面圖和詳情頁設計
- 商品上架
- 商品透過審核成功上架

道具準備
- 獎品
- 背版
- 相關用品印製

直播執行期

開播前檢查清單
- 直播場地準備
- 準備直播道具
- 上傳直播封面
- 導購商品下單連結

直播的流程
- 內容分享
- 準備抽獎
- 留言互動
- 引導觀眾按讚追蹤
- 引導分享轉貼
- 預告下一場直播時間
- 介紹商品導購連結

直播覆盤期

後台數據檢視
- 直播過程數據覆盤
- 直播帶貨成交數據
- 覆盤

改善加強整體直播內容和流程

※ 灰底字為需要導購商品時。

例如鼓勵觀眾粉絲分享直播連結、TAG主播帳號、轉貼就抽獎、直播過程中的互動等等，這也是流程中的重點之一。有些人剛開始直播，或許來不及顧及到這麼多，不過熟能生巧，多開幾次就會習慣成自然了。

第三階段：直播覆盤期

①後台數據檢視

直播結束後，要做的事情還很多。到後台檢視這次直播的數據，統計本場直播開播前的預約人數、線上觀看人數、平均觀看時間、新增追蹤數、按讚次數等，從統計數據了解本場直播的效果。

②改善加強整體直播內容和流程

每場直播結束後，藉由後台的數據來檢討這次的流程和內容，總結做得好的地方，下次繼續保持；做得不好的地方，想好如何改善，是否要更新SOP、下一次直播的行動清單等。每次直播都「覆盤」一次，就可以不斷升級自己的能力，讓直播帶來更好的效果。

以上將直播的三個階段流程製作成流程圖，提供給大家參考，無論是新手或老手，藉由這個一目了然的圖表，都可以提醒自己在籌備和進行直播的每一步穩紮穩打。可以將其中的步驟微調修改成符合自己的內容。每次直播按照這個流程去籌備、執行和覆盤，就會更順暢、更高效，也不會遺漏重要的環節。

精進自我、增加粉絲的直播說書

「直播說書」不僅是為了有助於打造個人品牌或達到直播變現，為了準備每一次直播，都要認真讀書，也是在刻意鍛煉演講表達能力。光是從這兩個精進自我能力的層面出發，建議大家要常常進行直播說書。

直播說書有兩種形式，**第一種類似聽書稿**，一次直播把一本書的核心內容解讀給大家聽。我做的大部分直播都是類似這樣的形式，**一次兩個小時左右，介紹一本書，解讀書中的核心內容。**

直播流程表和檢查清單

直播前準備步驟

1. 確定直播目的：是增加粉絲還是導購？每一場直播，都要有明確的目的。
2. 上架合適的商品：提前在線上商店上架商品，包括封面圖、詳情圖、文字介紹等內容。
3. 直播預約和宣傳。
4. 做好直播海報：提前在社群宣傳，邀請大家預設直播提醒。
5. 直播內容準備：準備直播的腳本、內容以及抽獎禮物和用具等。

開播前檢查清單

1. 直播場地準備：準備好直播支架、鎂光燈等工具，手機充飽電。
2. 準備好直播道具：背板、抽獎禮物等，放在手邊，隨手可拿。
3. 開始直播時，上傳直播海報作為封面：包含直播主題、時間、亮點等必要資訊。
4. 導購商品下單連結：同時準備好實物展示的樣品。

直播時流程

1. 開播後，轉發直播連結到私人帳號，也同步轉發到相關社群平台。
2. 留意是否按照事前準備的直播稿時間進行。
3. 一邊分享內容，一邊和觀眾在留言區進行互動。
4. 引導觀眾們按讚追蹤、分享轉貼直播連結，增加擴散。
5. 直播過程中，多次預告下一次直播時間。
6. 當直播帶貨、導購時，可以結合用戶的痛點，詳細介紹商品的賣點和優惠活動等。

直播資料統計

現場人數		最高線上		平均觀看	
按讚次數		新增追蹤數		總熱度	

直播結束後覆盤

1. 根據直播資料統計、分析本場的數據表現。
2. 覆盤本場直播的氛圍、用戶互動、自己的演講表達能力等。
3. 覆盤本場直播時觀看數最高、反應最熱烈的時間點。
4. 覆盤本場直播的成交資料、使用者下單的商品以及成交的時段等。

下一場直播的改進清單

1. 直播內容（和直播銷售時話術）如何加強改進。
2. 直播的氛圍、用戶互動、演講表達能力可以怎樣更好。
3. 有帶貨和導購的直播，如何提高成交資料和成交金額。

第二種形式類似拆解稿，把一本書分成多次直播來講解，每次直播解讀其中一個章節的內容。我的團隊成員琪琪就是用這種方式，把一本書拆解成多次直播，她的影音帳號「琪琪弘丹寫作營」已經進行過一百多場的直播說書。

直播說書比寫拆解稿和聽書稿容易，因為只需要準備大綱、核心內容和典型案例就可以，不需要寫逐字稿，相對的，是在考驗個人的表達力。要進行一場高分享、高互動的說書直播，可以按照下面四個步驟來準備。

第一步：深度閱讀書籍

提前一到兩週確定要講的書籍，花時間深度閱讀這本書，至少閱讀兩遍：第一遍用快速閱讀法，篩選書籍的核心內容；第二遍則用深度閱讀法，讀透這本書，標記重點章節和重點。

第二步：製作直播說書的文宣，提前預告並宣傳

如果希望有更多人來聽我們的直播，就一定要提前宣傳和預告。做好直播文宣、提早宣傳，讓更多人事前按下直播提醒並來參與。

第三步：撰寫大綱

我的方式是結合聽書稿的大綱來準備直播說書的大綱，在解析書籍的三個核心重點時，每段內容都會總結具體的方法及案例，在直播的時候便能詳細加以講解。

第四步：正式直播講書

直播前再看一遍書，把說書的大綱、重點和案例複習一遍，讓正式說書的時候可以做到融會貫通。

直播時，不僅是分享書的內容，跟聽眾的互動也非常重要。直播過程中可以加入一些案例，多講一些自己的故事，以及自己讀完書後的收穫，更能引起聽眾的共鳴。透過多多和觀眾互動，讓他們停留在直播更長的時間，通常我會採取以下三種方法：

① 每次直播，安排抽獎

只要有開直播，我都會挑選一些精美的禮物送給線上的觀眾。像是我的簽名書、特別訂制的四季手帳本、覆面隨機書籍等。比較重要的直播，更可以稍微提高禮物的單價，增加參與直播的誘因。

② 將精彩的留言單獨擷取出來，增加觀眾留言的積極性

在直播過程中，可以讓用戶多轉發、多留言、多互動。有些直播的輔助軟體，能讓主播將精彩的留言單獨擷取出來、放在影像上，不僅讓觀眾感受到自己受到重視，主播也能透過擷取留言，引導其他觀眾回答問題，互動提問的方式，可以增加使用者的專注力，在直播間停留更長的時間。

③ 引導用戶在留言區發金句

書裡一些比較容易引起共鳴的金句，可以引導觀眾用戶們發在留言區。一方面加深大家對這些金句的印象，另一方面也可以增加互動性和參與評論的人數。而在直播過程中，可以預告下一次直播的時間，順便再次引導觀眾們追蹤按讚帳號，才會即時收到預告、提醒大家參加。

我設計了直播說書的流程表，大家可以利用這張表格，來準備自己的直播內容，以下就來一一說明表格中的項目該如何填寫。

① 確定書籍和講書的主題

確定講書的主題後，結合主題來製作直播講書的文宣。同時也準備相應的物品，

如紙本書、抽獎的禮物、廣告手板等。

② 找出直播的核心內容

可以按照書籍的章節來寫大綱和每個章節的核心內容，也可以像聽書稿的大綱，抓出書籍的三個核心重點，結合具體的案例講解。

③ 篩選書籍的金句

摘錄書籍中的金句，在直播的過程中跟聽眾互動，或者讓聽眾在評論區回覆金句。金句往往是朗朗上口的，能夠給讓聽眾留下深刻的印象，可以提前篩選幾個金句，寫到表單裡備用。

④ 直播資料統計

直播結束後，要統計和記錄直播資料。每場直播結束，後台都會相關數據可查詢，我每場直播都會截圖保存這些資料，並登記到表格裡，定期分析。

⑤ 直播後覆盤和改善加強清單

每次直播結束後的覆盤，能讓我們從每一場直播中吸取寶貴的經驗，同時也要寫出下一場直播的改善清單，讓日後的每一場直播都越來越好。

| 作者填寫範例 |

直播說書流程表

書籍：《時間的格局》 | 直播物品：廣告手板、書籍、手帳本
抽獎禮物：簽名書、手帳本 | 直播長度：2 個小時

直播講書的主題

時間投資法，讓你的時間發揮 10 倍價值。

直播核心內容

1. 為什麼要講《時間的格局》這本書。
2. 書籍的創作背景和故事。
3. 介紹本書的主要內容、整體概況。
4. 重點講解三個核心重點：
   ① 思維重構法，走出自身思維的局限，重點講綠燈思維。
   ② 時間投資法，讓每一分鐘為未來增值，重點講時間投資三步法。
   ③ 高效行動者，用行動改變自己的生活，重點講 POA 行動力公式。
5. 三個核心重點的每個部分，要帶到一些具體的方法和案例，詳細講解每部分的內容。
6. 總結和互動，回答用戶的問題等。

書籍的金句

激情只能點燃夢想，習慣才能成就理想。
每一次拚盡全力，都會讓你離自己的夢想更近一步。
唯有夢想，才配讓你焦慮；唯有行動，才能解除你的焦慮。

直播資料統計

現場人數	6848	最高線上	457	平均觀看	2 分 20 秒
按讚次數	4.4 萬	新增追蹤數	89	總熱度	1391

直播結束後覆盤

1. 在七夕直播，獲得了系統的推播，觀眾總人數 6,800 多人，同時線上人數 457 人。
2. 在新流量比較多的時候，要引導使用者追蹤帳號，提升粉絲數量。

下一場直播的改善目標

1. 在過程中記得多跟用戶互動，增加留言數和點讚數，吸引更多的用戶分享直播連結。
2. 在直播說書的過程同時上架課程連結，可以置入性行銷課程的介紹，讓感興趣的用戶可直接下單。

直播說書時，不用擔心沒東西可講，也不用焦慮講什麼內容，結合書籍的內容來直播就可以。直播的形式也有比較多自由發揮的空間，還可以直接跟聽眾互動，分享自己的觀點和閱讀收穫。

當聽眾用戶喜歡你的直播內容，也會下單書籍或課程！我的經驗就是如此，有不少觀眾在聽我直播說書時，也同時報名了年度會員課程。

和其他KOL互相合作，交流粉絲

除了自己直播，也可以跟其他影音KOL（頻道主）連線，讓直播的內容更豐富。直播連線是互相幫助，也是打破限制的一種方式，更可以互相推薦、追蹤，有助於吸引到不同的粉絲。跟有份量的大咖連線，還可以增強自己的影響力。

直播連線的準備流程，跟單獨直播的流程類似，增加了跟連線嘉賓溝通和確認的步驟如下。

第一步：確定連線嘉賓和連線主題

可以主動邀請連線的來賓，把每一次連線直播，當成一次深度的訪談，可以增加對彼此的了解，加深彼此的聯繫互動。

邀請連線嘉賓時，可以從幾個方向來思考：一是邀請大咖，或者老師級的來賓連線。一些重要的直播，可以邀請這類嘉賓來助陣，提升自己的影響力。

第二種來賓是請有交情的頻道主，不一定是要和你經營相同的主題，製造出一種跨界的感覺，觀眾們也會覺得格外新鮮。

而第三種來賓，若你已經在經營社群或學習營，可以邀請社群的學員一起連線，現場解決他們的問題和卡關點；也可以設定某次的直播前，開放鐵粉報名對談，也是增加社群黏著度的方法。

確定好連線嘉賓後，接著是確定直播的主題。不管是連線一個人，還是連線多個人，最好是圍繞一個主題來分享就好。提前跟嘉賓確定當日的主題，並做好連線的文宣，提前宣傳和預告。

第二步：跟嘉賓溝通分享的內容和問題清單

為參與直播的來賓準備當日的內容和問題清單的大綱，讓他們事前了解直播中會聊的範圍、會提出的問題。

直播時可以是自己提問，嘉賓分享的單向訪談，也可以是彼此提問、互動多的方式。直播的過程也不一定完全按照事先準備的問題來，因為觀眾會在留言區互動並提問，可以結合嘉賓的分享和觀眾的留言做出調整。

把連線直播當作一場聊天和交流，用輕鬆的心態來進行。直播連線也是很好的學習機會，每一位嘉賓的分享，都會為自己帶來啟發。

第三步：如果是第一次連線，一定要先測試

如果連線嘉賓之前沒有做過直播，那在直播前一定要跟對方進行直播測試，幫助對方很快地了解流程。如果雙方都已經有直播的經驗，最好也要在直播前一至二小時先試連線看看，確定軟硬體都沒有問題；如果很不巧地發生連線上的狀況，也要有其他的備案。

在二〇二一年，我策劃了幾十場直播連線，連線嘉賓有三百萬冊暢銷書《拆掉思維裡的牆》的作者古典老師、實踐家教育集團董事長林偉賢老師、資深領導力發展顧問古京麗老師等。

前面提過的團隊核心成員琪琪，也策劃過上百場的連線直播。在他的工作日，每天早上都會連線一位元年度會員，邀請他們來分享自己的寫作成長故事。而週日是專場連線，一場直播會連線三至四位學員。

此外，我們策劃過五十多歲的乘風破浪的姐姐們的連線直播，策劃過直播寫稿，邀請專欄作者們分享自己的投稿故事，還策劃過演講比賽的決賽連線直播等。

許多同學不敢邁出直播的第一步，透過跟琪琪連線，進而突破了這個關卡。寫作營的學員們彼此也會互相邀請直播連線，互相採訪，分享彼此的故事，提升自我的同時，也可以加深彼此的感情。

直播流量的高效變現重點

直播帶貨和導購變現的商業循環

在許多影音平台，都會提供帳號開通線上商店，進行直播的時候就可以實現流量變現。

所謂的直播帶貨主要有兩種形式，一是銷售自己的產品（書籍、付費專欄等）或者課程；第二種是導購其他商品，讓觀眾和用戶透過這個帳號或頁面所提供的網址下單商品，或是結帳時輸入專屬的「優惠碼」，以廠商提供合作分潤的形式獲得收益。

我在直播說書時也會放上購書連結，使用者喜歡這本書，就可以直接下單購買。直播說書時雖然介紹課程的時間很少，但也經常有用戶直接下單報名課程，效益非常高。如果你有自己的產品或課程，一定要活用直播，開拓這項流量變現的收入管道。

和粉絲線上互動，建立信任和黏著度

直播也是跟使用者建立信任的方式，用戶可以直接看到我們的真人狀態，更容易產生信任感，這是產生付費關係的前提條件之一。

直播也可以打造個人品牌，透過多次直播，讓用戶更了解你，提升個人影響力。而透過直播展示自己、展現產品，更能帶來新的商務合作機會。

除了帶來商業價值，直播也可以提升個人能力。透過一次次的線上直播，能鍛煉表達能力、鏡頭感和與他人的互動能力等。我們可以運用直播的方式，跟使用者建立信任和深度連接，用直播陪伴粉絲成長並解答疑問。

直播是當前非常重要的趨勢，一定要把握紅利期，以穩定的頻率多開。目標是每一次直播，都可以增加粉絲、引流、導購，進而產生更大的經濟效益。

TIPS

大部分的商業模式，都可以用直播的方式，重新來一遍。所以一定要去思考，當下的商業模式如何跟直播相結合。好好直播，好好經營自己的這家「線上小商店」。

第 7 章

讀書社群變現：

將專業能力轉化成一項熱銷商品

從零開始建立線上閱讀社群

二〇一五年我所做過最正確的兩個決定，第一是從零開始寫作，第二就是決定經營社群。如果沒有經營社群，我不確定自己是否可以堅持寫作，畢竟一個人寫作是很容易放棄的。因為創建了社群，聚集一群熱愛寫作的同好們，而我是版主，要做大家的榜樣，強迫自己堅持寫作。最終，我把寫作的興趣愛好變成了一項事業。

每個人都可以去創建屬於自己的社群，在這個章節，我會跟大家分享自己是如何經營社群的。

擴大閱讀影響力的最佳方法

二〇一五年的六月，我正式註冊了幾個寫作平台的帳號，開始公開寫作，在下一個月，也就是二〇一五年的七月，我就開始營運自己的社群。

當初的目的非常簡單，我看到很多人都有寫作的想法，卻沒有實際行動，就想帶著大家一起來寫作，因此創建了「百日寫作」的公益社群。

二〇一五年七月，我在平台發布了「百日寫作社群」的招募文章。那時候我只是一位素人作者，沒有知名度，沒有影響力，也沒有個人品牌。但是我的初衷打動了一些人，文章發出去，就有人報名。

第一期百日寫作的公益活動有二十多人報名，我們每天在社群裡寫作打卡，週末還約在線上開會，一起交流寫作過程中遇到的問題。因為有社群的陪伴，許多人都達成了「日更一百天」的目標。

寫作的第一年，幾乎沒有帶給我經濟上的收益，但第一年的寫作對我意義重大。寫作讓我從三分鐘熱度，成為一個能堅持做好一件事的人；更重要的是，這一年堅持下來，讓我深深愛上了寫作。

第二年，我開始在寫作上獲得成就，成為多個平台的簽約作者，而我依然在做公益的百日寫作活動，總共做了六期。

二〇一六年的七月，我正式開啟了付費的「二十一天零基礎寫作訓練營」。從二〇一五年到二〇二二年，共開設了一百多期不同的寫作訓練營，做了五年的年度會員社群。在社群經營這件事上，我累積了七年的實戰經驗，打造出多個百萬營收的社群。

許多人覺得經營社群離自己很遙遠，其實每個人都可以做自己的社群。如果喜歡讀書，可以經營讀書社群，帶著大家一起讀書；喜歡運動，就可以經營運動打卡社群，帶著大家一起運動；如果喜歡直播，就可以做直播粉絲群，讓直播間的粉絲們一起加入直播社群。

我開辦了多個跟讀書相關的訓練營，二〇一七年，我開始進行線上的「三十天聽書稿寫作訓練營」，累計開設了二十多期。到了二〇二一年，開創了線上的「弘丹早起讀書會」年度讀書社群，一年暢聽五十二本書，大家一年可以觀看我的五十二場直播說書，還有一整年的讀書社群陪伴。這個項目到現在已經上架一百多本音訊解讀書

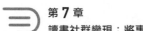

籍，以及六十多場直播說書。

二〇二一年，我開設了主題類的讀書訓練營「二十八天弘丹財富讀書會」，帶著大家共讀四本經典的財富書籍，有四節財富的直播分享課程，以及「線上雲擺攤」等豐富的活動，幫助大家突破財富關卡，勇敢銷售自己的產品。

一位「零基礎寫作營」的學員的故事是這樣的，她很喜歡讀書，每年讀一百本以上，透過讀書不斷提升自己的能力，也改變了自己的生活；她號召公益的線下讀書會，每週舉辦一次，累計做了一百多場公益活動，也因此累積了很多高黏著的鐵粉用戶。後來她便辭職成為了自由業者，專心做線上的讀書訓練營。

透過開設社群，她從職場人士變成自由職業者，並影響許多人愛上讀書。她的讀書訓練營已經運行兩年，也出版了自己的第一本書。這就是讀書帶來的改變，她成功地將讀書這個興趣愛好變成了自己的事業。

正因為有能力，才更要大膽定價

許多人想要建立自己的線上社群，卻不敢行動。以下總結我常聽到學員們在建立線上社群時遭遇的五大關卡，讓我們一起來突破。

關卡一：不好意思收費

許多人都有這個心魔，明明專業能力很強，也能提供巨大的價值，但就是不好意思收費。能為別人提供很多的幫助，利用自己的專業所長解決別人的問題，但從未想過，自己可以透過專業所長來創造收益。

價值決定價格，你能為用戶創造價值，就可以收費。許多時候，你不收費、別人就感受不到你的價值，他們會覺得就是順便幫個忙，並不會珍惜你的時間以及你所提供的幫助。

想要打造自己的線上社群，首先要突破的，就是「不好意思收費」的關卡。如果你擔心收費會使報名的人數減少，可以先從低價開始收費，再以階梯漲價的方式，逐漸漲到與你所提供的價值相符的價格。

付費是一種篩選，可以篩出真正認可你、願意長期跟隨你學習的人。當收到第一位用戶的付款，你就會大幅地提升自信心，就敢於收費了。打造線上付費社群，是根據結果拿酬勞，而不只是一份固定的薪水，就有機會創造更多的財富收入。

關卡二：定價過低

定價指的是為商品和服務制定價格，許多人開設線上課程或者社群時，往往會定價過低。我們要定一個合理的價格，既能體現你的價值，又能帶來好的銷量。

定價過低的這個關卡我也經歷過。二〇一六年，我開設第一期寫作營，定價是九十九元（人民幣），連續開設了好幾期，才漲價到一百九十九元（人民幣）。零基礎寫作營經過這幾年，逐步漲價到六百九十九元。跟同類產品相比，我的定價還是比較低的，性價比超級高，因為有很多寫作訓練營，已經收費一千元（人民幣）以上。

我的一位一對一私人教練學員，是資深的出版編輯，有十多年的專業經驗。她想開設線上一對一的收費諮詢，問我如何定價。一開始的定價是一百九十九元（人民幣）

一小時，我說：「這個定價太低了。你提供的是十多年的經驗、極具價值的出版諮詢服務，定價一百九十九元（人民幣），用戶反而感受不到你提供的價值。」

定價低了，高端用戶反而不會來。有能力出版書籍的人，自己的專業能力和支付能力，都是比較強的，他們的時間很寶貴。定價一百九十九元（人民幣）一小時的出版諮詢，他們會猶豫自己是否要進行，如果他們認為收穫不大，自己的這一個小時就浪費了。

能夠提供超值內容，就可以定高價。價格的高低，不能只看單價，還要看你提供的服務和為使用者創造的價值。假設諮詢顧問的一句話，就為客戶創造上百萬元的營收，那麼他收取幾萬元的顧問費是非常合理的。每個人的時間和精力都有限，我們要去服務那些有潛力的、重視我們的客戶。

關卡三：低估自己的專業價值

這個關卡和前面兩點有所連動，許多人並沒有意識到，自己的專業所長是可以創造價值的。

很多人會陷入「知識詛咒」，覺得自己知道的，別人也知道，其實並非如此。隔行如隔山，你的專業所長，也許是別人的盲點，我們要發揮自己的所長，用專業創造收益。

不要低估了自己的專業，也不要輕易放棄專業經驗。不要輕易從零開始，而是要思考過去哪些技能、經驗是可以多次運用、是可以創造價值的。要發揮自己過往累積的經驗，知識和能力都是可以遷移的。

我的學員希言原本是在一家知名房地產企業工作，業餘時間寫作，出版了一本書，在各大平台上登刊百篇十萬多閱讀量的文章。一開始，她想轉型做新媒體編輯，但這樣就要放棄自己在房地產的工作經驗。後來她遇到一個機會，是做房地產自媒體的主編，既可以發揮她在房地產的經驗，又發揮了自己擅長寫作的優勢，而且門檻也更高，更有競爭優勢。

要發揮優勢和專業價值，來創造財富收入。就像寫作是我的專長，我靠寫作創造收益，還將寫作變成事業。如果你擅長書法、水彩、唱歌等，這些都可以為你創造價值。許多人實現興趣變現，就是結合自己的興趣和特長，開發產品創造收益。

關卡四：不好意思銷售和推廣

許多人不好意思跟朋友分享自己的課程或產品，甚至連發文都不好意思。想要打造個人品牌，實現興趣變現，一定要敢於去分享，分享就是影響力。如果你不分享，別人怎麼來了解你的課程或者產品？

作家哈福．艾克總結了有錢人和窮人十七種不一樣的思維方式，其中一種就是關於推銷。他說：「有錢人樂意宣傳自己和自己的價值觀，窮人把推銷和宣傳看成不好的事。」

不願意推銷的人，是不相信自己，也不相信自己的產品。當你沒有真正相信自己、相信自己的產品，也就不敢去推銷。所以，建立基本自信心，是你邁出推銷的第一步。

大大方方銷售，認認真真做好產品和服務。銷售就是把自己覺得有價值的產品，分享給需要的人。使用者自己有判斷能力，如果需要你的課程或產品，自己會決定是否下單購買。所以，分享是你的事，購買是用戶的事，首先要做好自己應該做的事情，每天堅持分享和銷售自己的產品或課程。

如果你的產品或服務很好，你有責任和義務讓更多人知道。相信自己一定可以幫助許多人，就要勇於去推薦和銷售。但如果不去分享和銷售，使用者即使需要你的課程或產品，他也不知道可以從這裡購買。

我和學員琪琪每年至少在社群媒體上發一千多則文，每天至少發三條，幾乎不會中斷。發文是我們非常重要的日課之一，當你不斷去分享，不僅可以幫助別人，還可以獲得財富收入。

> **TIPS**
>
> 我們可以用一種「送禮物」的心態來分享。你分享自己的觀點、感悟和經驗，說不定就會對別人有幫助，就是送了一份禮物給對方。不要不好意思行銷，任何產品都是需要推廣的。

關卡五：淺嘗輒止，無法長期經營

有許多人推出自己的線上課程，實現了興趣變現。但做了一段時間後就疲倦了，或者失去熱情而放棄了。

打造個人品牌和興趣變現，需要長期堅持，不是試一試，也不是淺嘗輒止，而是要長期在一個領域深耕。這樣才能在一個領域累積足夠的影響力，產生複利效應。

有許多老師開設了一至兩期訓練營後，就遇到瓶頸，像是流量不如預期，招不到學生等，就中斷課程或直接放棄了。有很多在二〇一六年跟我一起做線上訓練營的老師，現在已經看不到他們的身影了。而我從二〇一六年一直持續到現在，累計開設一百多期不同的訓練營。

長期堅持和累積，會帶來複利的效應。每一年，都有很多平台主動來找我合作。他們在調查時，發現我持續在寫作這個領域深耕，也有不錯的成績。於是他們在篩選老師時就會選擇我，這就是堅持打造個人品牌所帶來的複利。

在建立個人品牌的路上，一定會遇到各種各樣的困難和挑戰，我們要有長期主義的思維，一邊前行，一邊解決問題，這樣才能在某個領域持續耕耘，做出成績的同時也創造財富收入。

突破了以上五個關卡，在開設線上課程以及打造個人品牌的過程中，你會少走很多彎路。

經營暢銷又長銷的付費社群

打造讀書社群也是非常重要的一項讀書變現，不僅可以督促自己讀書，還可以帶領一群愛閱讀的同好們一起堅持讀書。

創辦讀書、寫作等不同的訓練營，基本原則是相同的。如何經營一個讀書訓練營，重點在於如何找到精準用戶，以及如何做好社群經營和學員服務。

尋找線上讀書社群的精準用戶

開設自己的讀書社群，除了設計有吸引力的課程，還有個關鍵是要有用戶來購買課程。如果你個人帳號的好友才兩百多人，其中大部分還是親戚和同事，那麼要開設線上的訓練營是挺有難度的，因為用戶基數太小了。

我們要在公領域流量累績一定的粉絲人數，而在私領域流量，也得累積用戶數量，這樣一來在開設訓練營時，才會有學員來報名課程，並且可以持續招生和持續滾動開課。而開設線上課程時，有兩種方式可以精準地尋找使用者。

方式一：借勢和強大夥伴合作，跟有大量用戶的平台合作

你的個人背書足夠強，專業能力也很厲害，就不一定要自己累積用戶，可以直接跟有大量用戶的平台合作就行。

「得到系」的一些老師，像薛兆豐老師，專業能力非常強，影響力也很強，他直接跟前幾名的大平台合作，用戶的問題就解決了。

如果你的聲量還不算是業界前幾大，但也有一定的知名度和影響力，可以尋找有潛力、有發展性的平台合作，或者是與有一定粉絲數量的帳號合作。你有扎實的內容和課程，對方有粉絲，如果達成合作，就是雙贏。當然，在篩選合作夥伴的時候，還是要多方調查，選擇可靠的合作平台。

我的讀書寫作課程，就有上線荔枝微課、千聊、壹課等平台，這些平台的用戶數量非常大，因此我的課程在上線這些平台後，銷量都是超過萬份。

方式二：深耕內容，自己累積使用者

如果你還沒有那麼大的知名度，或者是剛剛起步的素人，那麼就需要好好做內容，靠好的內容來吸引粉絲，累積用戶。

二〇一五年我開始跨界寫作，是一個素人作者，透過不斷創作優質的內容，吸引越來越多的關注者，逐漸累積粉絲和影響力。這個過程需要時間，也需要持續的行動力和內容創作力。如果你擅長寫爆文，那麼累積粉絲的時間就可以縮短，增加速度會更快。

創作優質的內容，累積的使用者達到一定的數量，用戶對你也有一定的信任，你就可以開發自己的付費課程。

很多人會有一個盲點，覺得自己必須有很多粉絲，才能開設付費課程。我在招募第一期寫作訓練營時，公眾號粉絲才幾千人，微信好友數約一千人左右，因此並非必須達到幾萬、幾十萬粉絲，才能開發自己的課程。只要有一定的用戶數量，就可以創作優質內容和開發付費課程同步進行。

除了深耕內容，也要經營自己的私領域流量。我從二〇一六年到二〇二二年，累積了六萬多的微信私領域用戶，因此，來報名我們的寫作課和年度會員的學員，大部分都來自這裡的流量。

經營讀書社群，一定要做好學員服務

當我們招募到付費學員後，接下來就是付費學員的經營和學員服務的環節。**訓練**

營是技能學習，而不只是知識學習，更要督促學員有所行動，所以社群經營的能力非常重要。

在我的團隊裡，由全職的七夏、嘟嘟以及兼職的一燃負責社群經營，同時還培養了上百位經營官和點評官。經營和點評是我們寫作社群的優勢，學員的滿意度也比較高。

如果你有本職工作，一個人忙不過來，可以找擅長社群經營的朋友一起來合作。假設你負責講課和招生，合作的朋友就可以負責經營社群。可以用兼職的方式，以每一期訓練營來支付一定的費用。

同時，也要發揮社群學員的力量，培訓之前的學員，讓他們一起參與經營和點評，自己的改變和收穫也很大，可以鍛煉各方面的能力，也能連結很多優秀的人脈。

因為社群經營涉及的內容很多，我未來也會專門寫社群經營方面的書籍，你也可以專門做社群經營的主題閱讀。以下，我就簡單分享經營付費社群從零開始的三大心法。

（1）要傳授技能，帶著學員行動，打造成功案例

我自己的社群，是以閱讀和寫作為主，這兩項都是「技能」。在設計訓練營的時候，不只是提供課程，還有傳授技能，帶著大家真正行動起來，做出改變和達到成就。

在寫作訓練營中（包括體驗營），經常會舉辦清晨的「雲寫作活動」。早上六點半，我們帶著大家一起早起，加入線上會議，一起在線上寫作，解決大家不敢開始寫作、不敢行動的障礙，學員們的回饋都表示，參加線上雲寫作對他們的收穫非常大。

寫作為什麼要加入訓練營的學習呢？因為一個人寫作是比較孤單的，容易懈怠也很容易放棄。透過社群的監督，激發自己的寫作熱情，讓自己行動起來，能更快掌握寫作這個技能，有助於加快實現寫作變現。

對於訓練營來說，經營和點評都非常重要。每一期寫作訓練營都會分小班制，每個小班有班長、組長、各類職能官，來督促學員們的學習情況。還有專門的點評老師，一對一點評學員的文章，批註修改建議，輔導學員提升寫作能力。

不只如此，寫作營還會為學員接洽投稿的管道和平台，有許多學員還在訓練營期間，就已經實現了賺取稿費的目標。

零基礎訓練營則設計了學員之間的互評，大家寫的文章互相能看見，並獲得他人的回饋。大家的互評非常暖心，也會激發彼此內心的寫作熱情。

這些不同的形式，都是為了帶動學員行動。只有行動了，學員才能感受到參加訓練營的意義和價值，看到自己的改變和能力的提升，才會更加認可這個社群。

有許多學員的回饋都提到，我們的寫作訓練營是他們參加過類似的訓練營中體驗最好的，也是少數堅持學下來和百分百完成打卡的。

（2）遊戲化教學，讓學習變得簡單有趣

打造線上社群可以結合遊戲化教學的方式，讓學習變得簡單有趣。訓練營中設計了積分排行榜、日榜之星、週榜之星、學員的互評、知識競賽、書評大賽等，這些方式都會激發大家的學習內在動力。

我們還設計了各種各樣的動章：鍥而不捨動章、行動力爆棚動章、覆盤達人動章、高級點評家動章等。學員完成特定的要求，就可以獲得動章。獲得動章的人不僅成就感滿滿，也會促使他們發文分享。

為了督促大家早起，我們在服務號[17]「弘丹寫作成長營」開發了「早起打卡」的功能，每天會有數千人早起打卡。因應這個功能，也設置了早起勳章，如三十天、一百天早起勳章，甚至有三百六十五天早起勳章，激勵大家早起寫作，有些學員在早上四點鐘、五點鐘就起床打卡了。

除了早起打卡之外，也開發了「寫作打卡」的功能，寫完文章後，可以在服務號上打卡，不斷累積自己的寫作總字數、連續寫作的天數等。有許多參與者獲得「三百六十五天日更達人」的勳章，累計寫了三百多萬字！

弘丹寫作的願景是：**讓每個人享受寫作的快樂，透過寫作找到自我價值，活出閃閃發光的自己。**這些遊戲化的方式，讓寫作變得簡單有趣，讓學員可以快樂學習並掌握寫作的技能，寫出更多優秀的文章，實現上稿和寫作變現。

（3）持續改進課程內容，好還要更好

我們累計開設了一百多期不同的訓練營，也改善了很多經營方式，梳理成為訓練營的SOP（標準化流程）。每一期訓練營結束，都會進行覆盤和改善，分析具體的資

料。例如說打卡率、提交作業率、優秀作業率等，透過一次次的檢討改善，讓課程越來越好。

因為有SOP，每當開一個新的訓練營，就可以參考之前的方式，更加高效地籌備和經營。同時，也方便經營官的培訓和工作交接，即使換人了，新人也可以很快上手。

設計課程體系，提升回購率

要實現內容變現，一定要設計自己的課程體系。用不同的課程，滿足不同用戶的需求，有助於提高回購率；用戶學完一個課程後，還可以繼續學習進階的課程。

如果你在自己的領域裡持續深耕，有一定的用戶基數，就不要只開發一個課程，而是要設計完整的課程體系，包含四個層級：引流課程、基礎課程、利潤課程、高級

—編注—
17／類似 Line 的官方帳號，提供用戶各種線上服務。

課程。

不管是哪個領域的課程，都可以根據這個漏斗模型來設計，目標是服務不同需求的使用者。四個不同層級的類別，每個類別又可以設計不同的課程，形成一個完善體系。以我在閱讀和寫作領域設計的課程體系，實例如下：

①引流課程：五天輕鬆寫作體驗營、弘丹早起讀書會。

②基礎課程：二十一天零基礎寫作營、三十天聽書稿寫作營、二十一天視頻號直播營、自信力寫作營、讀書變現訓練營。

③利潤課程：弘丹年度VIP會員、三年SVIP會員。

④高級課程：弘丹私董會、弘丹年度私人教練。

我以自己的課程體系為例，來說明具體該如何規劃不同層級的課程。

〈引流課程〉：其中的「五天輕鬆寫作體驗營」已經開設二十多期，雖然價格比較低，但服務要加倍用心，因為這是用戶第一次來體驗課程。若第一次加入課程體驗不好，用戶報名正式課程的可能性也比較小。

體驗營的設計要點，是讓用戶有好的體驗，讓他們在三到五天內了解課程內容並

設計針對不同客群的課程體系

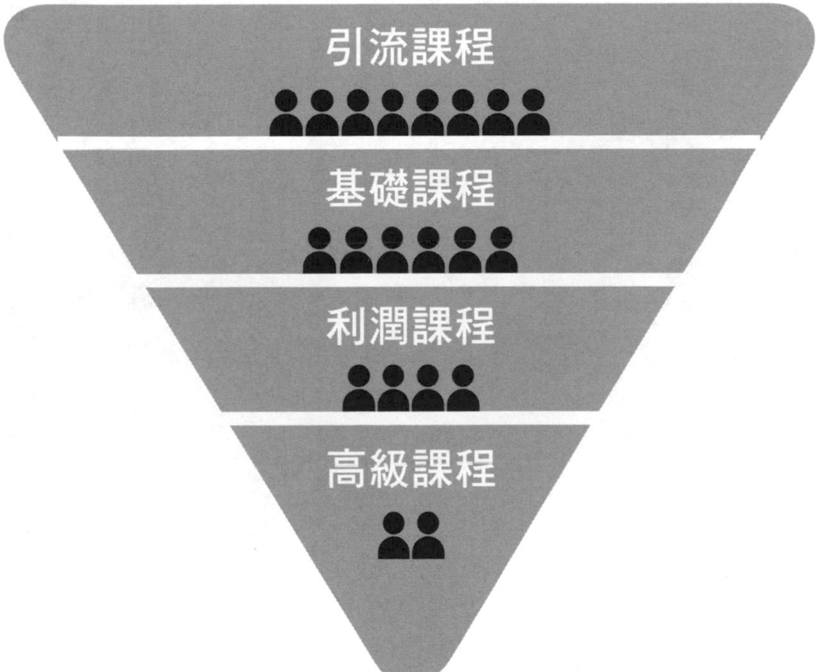

建立信任，同時讓用戶清楚了解正式課程會提供的內容，要讓他們對課程產生嚮往，進一步想要上正式課程。

許多體驗營除了課程的學習，主講老師還會直播。透過直播建立信任，講解重點和學員互動，學習效果也會更好。

體驗營也要設計作業環節，讓學員真正行動起來。只有行動並產生改變，才更有可能來參與正式課程的學習。**重點在於要想辦法在三到五天的時間裡，就讓學員看到自己的改變。**

當學員在體驗營中感受到成長和進步，同時也喜歡老師的講課風格和內容，就有可能來報名學習正式的課程。

〈基礎課程〉：分別有「二十一天零基礎寫作訓練營」、「十四天讀書變現訓練營」、「三十天聽書稿寫作訓練營」、「二十一天視頻號直播訓練營」等。

基礎課程的核心是「技能傳授」，讓學員真正學會和掌握一個技能，並取得一些成績。在上一節已詳細介紹基礎課程的內容，這裡就不再贅述。

〈利潤課程〉：是能持續帶來現金流的課程，也是你「讀書變現」的基本盤。我的年度寫作社群，就是屬於這個類型。

我從二〇一八年開始，累計開設了五年的年度會員課程，有很多學員連續報名三到五年。年度社群的核心重點是陪伴成長，所以會是一整年的社群陪伴課程。

會員制服務很周全，一年提供十個不同的訓練營，涵蓋許多學員想學習的課程。如果報名年度會員，可以省下很多錢，因為不需要額外花錢報名不同的課程，只要把一整年的課程學好，就會有非常大的收穫和成長。

除了課程之外，年度會員還能參加多個線上的工作坊：「十二小時自信力」工作坊、「寫作潛能激發」工作坊、「POA行動力」工作坊等，這些都是一整天的線上體驗式的學習和小組討論，跟線下課程的體驗差不多。

〈年度會員〉（高級課程）：除了上述的多種課程和訓練營，年度會員還可以在一年內免費多次複訓零基礎和聽書稿等王牌課程。這幾個課程也是許多學員的複訓首選，像是居燃同學便複訓聽書稿課程九次之多！她說，每一次複訓，都有不同的收穫。要真正掌握一個技能，一定要反複學習，複訓就是非常好的方式。

在課程體系中，還有獨創的寫作教練式輔導，如果在寫作的過程中卡關，比如沒有自信心、不知道怎麼修改文章、堅持不了等問題，訓練營會透過寫作教練一對多的培訓和一對一的諮詢診斷，幫助學員解決實際的阻礙，提供方法給予支持的力量；這就是與其他寫作社群訓練營做出區隔的「學員服務」。

判斷一個年度社群做得好不好，核心指標是續費率。如果你的年度社群有吸引力，會有一批鐵粉，會一直在你的社群學習和成長，你也可以深度陪伴他們的成長。

建立完善的課程體系，不是一蹴而就的，不可能剛開始做線上課程就能一下子推出多個不同的課程。可以先開設一門課程，把這堂課努力做到熱門、熱銷，累積口碑，當你的課程逐漸成熟之後，再來設計完整的體系。

透過讀書會，打造共讀氛圍

在線上可以做不同類型的讀書產品，在線下也可以發起實體的讀書會。實體讀書會有天然的優勢，大家可以互相見面、深度連結，更容易沉浸式學習。

我的朋友馨姐在上海開了一家女性書店「馨巢書屋」，邀請我去她的書店開實體讀書會和寫作工作坊，現場帶著大家閱讀和寫作。許多參與的成員說，在現場讀書和寫作的感覺很不一樣，在現場很容易專注。現在的生活節奏非常快，有些人已經很久沒有好好坐下來，看一本書或寫一篇文章，體會慢下來的感覺。

我的一位社群會員沈曉菡很喜歡讀書，有自己的線上讀書社群。她在無錫生活，創辦了「超能美媽讀書會」，每個月同時也舉辦實體讀書會，選擇當地風景優美的地方，每一期閱讀不同的書籍。

來參加讀書會的人，是全職媽媽或自由業者，閒暇時間是週一到週五的白天，因此讀書會是在工作日舉行。她結合使用者的情況，聚焦讀書和聚會相結合的需求，以好書、美景、妙人為入口，做「更高處遇見更好的自己」的讀書會。

她的讀書會吸引相同頻率的人來參加，也因此連結到當地一些頻率相同的女性，也有一些人加入她的付費社群，報名私人教練課程，實現了「社群經營變現」。

開辦實體讀書會不僅可以鍛煉自己的表達能力，還能訓練實體活動的組織能力，更能影響很多人愛上閱讀，非常有意義。我有很多學員在自己的公司發起讀書會，帶著同事們一起讀書；還有媽媽不僅帶自己的孩子讀書，也召集孩子班上的同學一起來讀書。

推廣閱讀和寫作，有很多的方式，期待大家不僅自己讀書，也能帶動身邊更多人一起加入終身閱讀的行列。

第 8 章

個人品牌變現：

如何打造個人品牌飛輪

透過品牌放大影響力，讓專業成功變現

個人品牌其實歷史悠久，並不是現在才出現，只是以前沒有這個專有名詞。個人品牌的典範，我想到的是孔子。春秋戰國時期，在沒有網路、自媒體、短影音的時代，孔子門下弟子三千、七十二賢人，絕對是超級有影響力的個體。

個人品牌是放大器，可以十倍、一百倍、一千倍，甚至幾十萬倍放大你的個人影響力。前提條件是，你要有優質的內容、傳遞正向的價值觀，否則即使有放大器，有時候反而是一件壞事，人設崩壞的例子實在是太多了。**我們要運用個人品牌這個放大**

器，放大自己的優勢和價值，而不是自己的缺點和劣勢。

現今的時代與孔子的時代相比，不同的是工具和傳播方式，但打造個人品牌的基本原則是一樣的，那就是優質的內容和作品。

個人品牌的核心是「信任」，在建立個人品牌的過程，做的很多事情都是增加信任感，包含在不同平台輸出不同的優質內容，都是在建立與用戶之間的信任。

現在各行各業的專業人士，例如律師、醫生等，都在建立個人品牌，**如果有一技之長，可以結合興趣愛好，打造自己的個人品牌**，放大影響力，讓自己的專業實力讓更多人看見，吸引更多精準的用戶，進一步打造自己的商業模式。

TIPS

個人品牌的背後，是人與人之間的連接。個人品牌可以創造超級連結，很多原本很難接觸到的人，因為個人品牌慕名而來。而更多的連結，就有機會帶來財富和影響力。

個人品牌有機會創造龐大的收益，也能讓我們的時間發揮出更大的價值，讓多種商業模式並存，開拓多管道收入，讓我們的時間更「值錢」。

三種商業模式，讓時間創造更大收益

如果把一個人比喻為一家公司來經營，公司有不同的商業模式，人也可以，暢銷書作家李笑來總結出了三種商業模式。

第一種，把時間出售一次創造收益。例如大部分上班族、自由職業者。第二種，把時間出售多次創造收益，像是知識IP、作家、藝術家等。第三種，花錢購買別人的時間創造收益，例如創業者、企業家、投資人。

當你只有第一種商業模式時，能創造的收益是有限的，而當環境變化，公司不景氣時，就容易面臨失業或裁員。在自媒體和短影音興起後，內容創作的門檻大幅降低，很多人都在業餘時間創作內容，開創第二種商業模式。

個人品牌達到一定的知名度和影響力，再搭配穩定的商業模式，就可以全職內容創業，實現從個人IP到團隊化營運的轉型。內容創業就是第三種商業模式，組建創業團隊，讓團隊協作創造更大的收益。以我自己為例，是經由以下的方式，把時間多次出售。

第一，寫書帶來版稅，實現被動收入

我創作的書籍持續帶來被動收入，二〇一八年出版的《從零開始學寫作》，已經四年多了還在持續暢銷，每年都有一定的銷量，帶來版稅的收入。二〇二〇年出版的《精進寫作》，是當當新書熱賣榜總榜的第一名，銷量也不錯。創作一本書花費的時間是固定的，只要賣出一本，我的時間就被賣出一次，書籍賣出好幾萬冊，我的時間等於賣了幾萬次，因此同一份時間持續創造價值，帶來被動收入。

第二，開發線上課程，上架多個平台，創造百萬銷售額

我在荔枝微課、千聊等平台，上架多門線上寫作課，每門寫作課的銷量在一萬份以上，因此每一門寫作課，都給我帶來不錯的收益。

開發課程花費的時間，同時賣給了一萬多人，就相當於我的時間被賣出了一萬多

份。寫作課程定價九十九元（人民幣），出售一萬份就可以帶來百萬營收。課程是跟平台合作，營收與平台分潤，而且平台的占比更高。

課程上線大平台，帶來的不只是課程的收益，更重要的是知名度和影響力的提升。有一萬多人買了我的課程，代表有一萬多人都知道我的寫作課程，這個價值是巨大的。

第三，開發付費訓練營和付費社群，一份時間販售上千次

除了跟平台合作上線的寫作課，我每年還會開設寫作訓練營和年度會員社群，累計開設了一百多期不同的訓練營，五年的年度社群。

開設訓練營和寫作社群，也是把我的時間批量出售。每次講課，都是有幾百上千人來聽，就相當於我的時間被販售上千次。

打造個人品牌，除了讓自己的時間多次的批量出售，還要讓自己的時間更貴，讓同樣的時間創造更高的價值。例如服務ＶＩＰ級的使用者，提供一對一諮詢或私人教練服務，解決使用者個性化問題。

打造持續獲利的個人品牌要素

在超級個體崛起時代，個人品牌是非常值錢的。接下來跟大家分享的個人品牌變現飛輪，不只適用於讀書變現，也適用於其他想打造個人品牌的領域。

個人品牌變現飛輪，是要讓組成的要素環環相扣、互相帶動，一圈一圈地快速轉動起來。在一圈圈的迴圈中，帶來更大的影響力和變現的收益。

建立個人品牌的四大基本循環

亞馬遜的創始人貝索斯（Jeff Bezos）在創業初期，就提出「飛輪效應（Flywheel effect）」是亞馬遜成功的秘訣。飛輪效應中的平價，吸引客戶帶動賣家匯聚，形成循環，循環往復，創造了亞馬遜的商業帝國。

回顧過去七年的個人品牌打造，我總結了個人品牌變現的飛輪，包括四個要素：**內容創作、使用者增長、私領域營運、產品體系。**

內容創作：持續的內容創作能力，包含圖文、音訊、短影音、直播、寫書等創作形式，帶來用戶的增長，累積粉絲，不斷提升個人影響力。

增加粉絲：由內容創作、社群分享、短片直播等多種形式，實現用戶增長。

私領域經營：吸引用戶加入私人領域，經營個人領域流量，增加與用戶的信任，提升付費率。擁有個人領域流量的人，是非常有價值的，可以創造巨大的財富。

產品體系：開發課程或者實物產品，完善產品體系，多個產品組合提高回購率，

個人品牌環環相扣的獲利飛輪

實現個人品牌變現。

打造個人品牌需要的是多方面的能力，包括：學習能力、內容創作能力、產品設計和開發能力、短片和直播能力、社群經營能力、直播講課能力等。以上這些能力，在本書中都有提及並提供可實際操作的方法，認真閱讀這本書，並去運用書中的方法不斷執行，你將擁有建立個人品牌所需的各種能力。

運用「二八原則」，實現獲利飛輪循環

想要個人品牌變現，並不能只靠單一的元素來實現，關鍵是要讓個人品牌飛輪快速轉起來，在一圈一圈的循環中，放大自己的勢能和影響力。

個人品牌飛輪可以因任何一個元素作為起點，不論是內容創作或是從用戶增長，這是一個迴圈，不是一個線性的順序。

很多創作者會陷入一個盲點，過於專注提升自己的創作能力。比如文字創作者總

覺得自己的寫作能力不夠好，甚至都不敢公開發布自己的文章，也就沒有辦法吸引精準用戶。當你覺得自己的寫作技能夠好了，開始對外發布文章，卻發現平台的風口早就過了，錯過紅利期，同樣的內容帶來的使用者增長和收益，差距可能是上千倍。

個人品牌飛輪的核心是各個領域之間互相配合和協作，不用等某個領域做到一百分了，再去做第二個領域，而是在做這個領域的同時，也要去學習下一個領域的核心技能。運用「二八原則」，先掌握每個領域最精華的內容，快速把整個飛輪轉起來，透過不斷循環精進每一個技能，實現個人品牌飛輪迴圈。

什麼是「二八原則」？就是投入百分之二十的時間，把「內容創作」做到八十分，然後開始學習「用戶增長」方法，讓自己的內容帶來粉絲的增長，做到八十分。若讓個人品牌飛輪的各個領域都做到八十分，飛輪就可以開始轉動了。

假設有兩個人，一個人花百分百的時間，把內容創作這一塊做到了一百分；而另一個人合理安排自己的時間，把每個領域都做到了八十分，那麼誰更容易實現個人品牌變現？

前者把內容做到了一百分，總分也只有一百分。而後者每個領域都做到了八十分，如果是分數相加是四百分，而相乘就是八十的五次方，可以看到兩者的差距，後者更容易實現變現。

讓飛輪轉動！個人品牌變現的執行重點

素人要如何利用飛輪效應，開啟自己的個人品牌變現呢？我們以內容創作為起點啟動飛輪，依序詳細說明。

〈內容創作〉持續創作優質內容，輸出價值，累積用戶

個人品牌的打造，是一步步實戰出來的，不是規劃出來的。作為一般素人，可以先從註冊一個平台的帳號開始，在這個平台上持續輸出內容。

剛開始創作，你也不知道自己是否能受注目，內容會給自己帶來什麼收益。在這個階段，**重要的是在持續行動中探索方向，持續創作優質內容，累積粉絲和追隨者。**

透過不斷探索，嘗試不同的內容創作形式：文章、影音、音訊等，也可以嘗試不

同的創作主題：情感、職場、育兒、娛樂等。可以一邊嘗試，一邊尋找自己擅長且讀者喜歡的領域，然後在這個領域持續深耕，累積用戶。

〈增加粉絲〉在領域中持續深耕，經營帳號、累積粉絲

經過前面階段的不斷探索，我們找到自己擅長的方向和領域，明確定位和方向，在某個主題持續深耕，成為這個領域的專家，同時也要不斷創作好的內容，吸引追隨者和粉絲。

我一開始創作的時候，也不清楚自己的方向是什麼。經過一年多的寫作，才發現跟寫作技巧相關的內容比較受歡迎，閱讀量也比較高。因此，我明確了自己的定位，在寫作這個領域持續深耕，在各個平台輸出跟寫作技巧相關的文章，累積粉絲的數量。

有些人會覺得入局太晚，是否還有機會？**我們不用怕加入晚，關鍵還是看內容創作能力和平台經營能力。**有能力的人，即使晚了幾步，也可以逆風翻盤，成為某個領域有聲量的KOL。

〈經營私領域〉用戶經營和私人領域的流量經營

在內容創作的時候，不只是創作優質的內容，也要有經營思維。除了透過不斷發表好文章以提高粉絲數量和累積影響力，同時也要吸引用戶，來到私人領域中。

很多個人品牌變現的方式，是跟私領域流量相關的。付費課程若有自己的私領域流量，就會有更多用戶購買，轉化率也會更高。不只是「官方」的一面，也要適時分享自己的生活、獨特的觀點和課程介紹。

〈產品體系〉開發課程或產品，實現內容變現

當累積了一些粉絲數量，有了鐵粉，就可以開發滿足用戶需求的課程或產品，實現內容變現，同時也跟使用者建立更深的連結。

付費內容的形式有很多，像是開發音訊或影音課程、訓練營、年度社群、一對一諮詢、高級課程等。有很多作者，流量非常大，是百萬級的帳號，但收益來源比較單一，主要是靠廣告。當觸及率下降，廣告的收益也會隨之下降。

目前粉絲數量不完全等於變現的能力，因此既要經營流量，也要開發付費產品，

轉動「變現飛輪」的執行重點

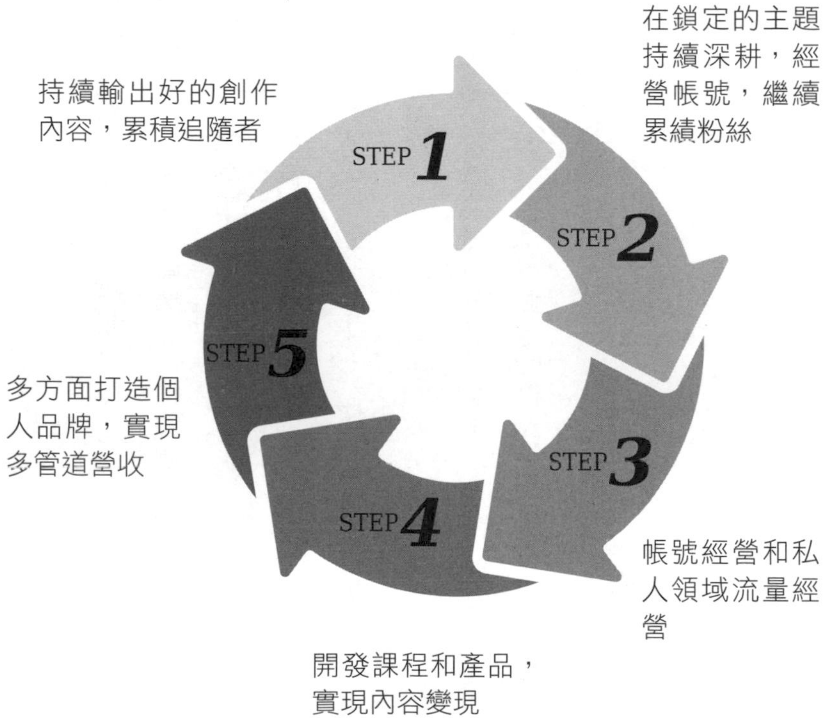
持續輸出好的創作內容，累積追隨者
在鎖定的主題持續深耕，經營帳號，繼續累績粉絲
帳號經營和私人領域流量經營
開發課程和產品，實現內容變現
多方面打造個人品牌，實現多管道營收
STEP 1
STEP 2
STEP 3
STEP 4
STEP 5

才能實現穩健的變現。

多方面打造個人品牌，實現多管道營收

當你在各個平台累積了粉絲，就逐漸擁有自己的個人品牌。**我們前面做的所有內容，都是在為個人品牌打造「服務」，都會提升個人影響力。**

打造個人品牌初期，自己一個人要身兼數職，內容、產品、營運、行銷等都要負責。隨著影響力越來越大，收入越來越高，不需要所有事情都親力親為，要建立團隊，大家分工合作。

團隊負責內容創作的人，要盡力把內容創作做到一百分，負責營運的人要把營運做到一百分。專業的人做專業的事，讓每個人的優勢發揮到最大。這樣，團隊作為整體，就可以推動飛輪轉動創造價值。

TIPS

飛輪效應的魅力，在於每一圈的轉動，都是下一圈的累積，這也是一種複利效應。當飛輪轉動成千上萬圈，個人品牌也會給你創造巨大的價值。

創作者的時間精力，是飛輪的原動力

在高中物理課上，我們都學過世上沒有永動機，個人品牌飛輪不會自動地一圈圈旋轉，是需要外部的動力推動它旋轉。

那麼啟動飛輪、讓飛輪一圈圈轉動起來的外部動力和能量是什麼呢？我思考了很久，總結出飛輪迴圈的能量供給，是內容創作者或者內容創作團隊的時間、精力、金錢等投入。

如果內容創作者不投入時間和精力，飛輪是不可能轉動起來的。如果你想要飛輪轉得更快，還需要投入金錢，就像投放廣告獲得更多的用戶增長。所以，時間、精力、金錢，是飛輪的外在能量供給。

內容創作者是個人品牌飛輪的內在能量供給，當創作者停止投入時間和精力，停止創作的時候，飛輪的迴圈就會逐漸慢下來，甚至直接停止。個人品牌變現飛輪，是無法脫離內容創作者而存在的。

個人品牌變現絕對不是一件輕輕鬆鬆就能做好的事情，對於內容創作者的要求很高，要不斷創作新的作品，不斷投入時間和精力，他是這個飛輪的核心，也是這個飛輪的動力源。

如果你選擇內容創作作為自己一生的事業，你就選擇了將自己一生寶貴的時間和精力，投注到這件事上，就是在用自己的生命來創作。生命是如此寶貴，我們要創作比生命更長遠的作品，讓你投入的時間和精力創造更大的價值。

個人品牌打造路徑：關鍵點以及正確的決定

二〇一五年從零開始寫作時，我並不了解個人品牌變現飛輪的模式，而是不斷摸索，但那時候的做法正好符合這個模式。

到了二〇二一年，是我內容創作的第七年。在這七年裡，個人品牌變現飛輪循環了無數次，在一遍遍的循環中，帶來內容變現和影響力的提升。現在，結合個人品牌飛輪，回顧一下過去七年當中，我在打造個人品牌的成長路徑。

解析推動「飛輪效應」的重大決策

我簡單分享這七年之間一些關鍵點，以及我做對了什麼。

二〇一五年年初，我看了一篇文章後，從零開始寫作。一開始是在日記本上手寫四百字的日記，一個人默默堅持了六個多月。同年的六月，我註冊了公眾號和簡書等自媒體平台，開始公開寫作。

如果我一直是在日記本上寫，而沒有公開，後面的興趣變現、個人品牌打造都將跟我沒什麼關係。內容創作的起點，是我從個人私下的創作開始轉為公開寫作。

當你不斷創作內容時，就會帶來粉絲的增長。我持續創作優質內容，累積個人帳號的追蹤者和粉絲，並在二〇一六年四月成為了平台的簽約作者。很多文章被推薦到該平台首頁，並寫出閱讀量超過四十六萬次的文章，在這個平台就累積了五萬多粉絲。

在平台公開創作的時候，就有讀者對我的文章感興趣，追蹤我的個人帳號，也就是增加了私人領域的流量。我當時誤打誤撞，透過舉辦一些免費的寫作社群活動吸引到了精準的用戶。這時候，我連續做了六期免費的百日寫作活動，帶著大家一起日更。當時也沒有想著要變現，只是單純地想要影響一群人一起來寫作。

二〇一六年七月，我實現了第一圈的個人品牌變現迴圈，從「內容創作」開始，到正式推出付費的第一期「二十一天零基礎寫作訓練營」，有二十多人報名，這是里程碑事件。從此我的個人品牌飛輪效應迴圈，就持續地一圈圈轉動，每一次循環都會帶來正向的收益。

二〇一七年，我出版了第一本書《時間的格局》，首刷一萬本，我成為一名暢銷書作者，受邀成為廣播電臺節目的分享嘉賓，帶來個人品牌上的躍遷。

同一年不只出書，我也豐富了產品體系，開設第二個課程「三十天聽書稿寫作訓練營」，帶領很多人一起讀書和寫聽書稿和拆解稿。從這裡畢業的學員，後來很多都各大閱讀平台的簽約專欄作者，這個訓練營截至目前已經累計開設二十多期。

二〇一八年，我開設了「年度會員」的產品。這個產品成為我的核心品項，從二〇一九年起，每年深度陪伴一千多位會員成長，至今已有五年時間。很多學員都是三到五年的會員，我們還陪伴一些學員度過結婚生子的人生重要階段。

這一年我也出版了第二本書《從零開始學寫作》，這本書是許多人的寫作啟蒙書籍，因為看了這本書，不再害怕寫作，真正動筆寫起來，享受寫作的快樂。

二〇一九年，我的寫作課程上線荔枝微課、千聊各大平台，銷量出數萬份，帶來付費用戶的增長和私領域流量的成長。其中一門寫作課，課程的瀏覽量是二十五點三五萬人次，數萬人購課。二〇一九年，我創立兼職團隊和經營點評團隊，進行團隊化協作。

二〇二〇年出版第三本書《精進寫作》，成為當當新書熱賣榜總榜的第一名，網路上有很多部落客推薦這本書，我也進行了《精進寫作》的全國實體簽書會。

這時，我已經業餘寫作了六年，同一年正式辭職創業，招募全職團隊，從個人IP到公司化營運，將內容創作變成自己的事業。

二〇二〇年我加入了「視頻號」，帳號成為作家榜TOP50，透過短影音和直播，開啟新的商業模式，累計直播兩百多場，直播帶貨成績非常好。

二〇二一年獲得「第七屆當當年度影響力作家」稱號，同年舉辦了「弘丹寫作」四週年實體周年慶活動。我梳理了這七年來個人品牌的變現路徑，總結提煉自己的方法，進行一對一私人教練輔導，教授學員如何打造個人IP、實現個人品牌變現；這一年我也加強了產品體系，推出「弘丹私董會」等高級課程。

二〇二二年出版第四本書，也跟用戶數過億的平台合作推出寫作課程。這一年我獲得「第八屆當當年度影響力作家」稱號，跟易中天老師、余秋雨老師一同上榜。「弘丹寫作」課程體系全面升級，以「寫作＋直播＋社群營運」作為社群三大特色，培養學員成為全方位的內容創作者。我培養優秀的寫作教練，以教練式輔導作為特色，協助每一位學員的成長和改變。

同時，我培養有潛力的IP，幫助他們打造個人品牌，一起推廣閱讀和寫作。我開拓跟B端企業的合作，跟多家企業和平台達成合作，提升企業客戶的閱讀和寫作能力。

個人品牌打造之路歷經七年，全網粉絲三十萬，私領域六萬多，跟多個大平台合作寫作課程，全網付費學員十多萬。同時，我建立完善的課程體系，打造多個百萬營收的社群，也幫助許多學員成長。

有些學員因為加入了寫作社群，人生發生巨大的改變。而我自己的人生，也因為寫作和個人品牌打造，脫胎換骨活成自己喜歡的樣子。我也明確了自己的人生願景和使命，推廣閱讀和寫作，培養一千位卓越的寫作教練，影響百萬書香家庭，影響千萬人透過寫作，活出閃閃發光的自己。

成功建立個人品牌的四大心態

在過去七年建立個人品牌的過程中，我做對一些事情，也抓住了機會，最後總結出四大心態與你分享，幫助你成功打造個人品牌。

第一，專注和堅持，持續在主題領域深耕

我二〇一五年從零開始寫作，二〇一六年開始做線上社群，在這條道路上堅持了七年，這七年來，我一直專注在寫作和線上社群經營這兩個領域。當你足夠專注，就能在這個領域裡做出成績。我有許多合作，都是平台方主動發出邀請的。

專注的同時，堅持也很重要。在堅持這件事上，我有很多紀錄——

從二〇〇七年開始早起，持續十五年。

從二〇一二年開始記錄時間消費，持續記錄十年。

從二〇一五年開始寫作，持續寫作七年時間。

專注和堅持，讓我在內容創作道路上持續做出成績，通往成功的道路並不擁擠，因為很多人都會自動放棄。

第二，內容取勝，圍繞個人品牌的內容創作

我所取得的成就、實現個人品牌變現，都是靠優質內容取勝。透過內容創作，累積忠實的用戶；透過內容創作，打造付費課程，做出口碑，實現課程的一期一期滾動開課。

透過內容創作，打造出熱門爆紅課程，我成為各大平台首頁推薦的講師，課程銷量幾萬份；持續創作優質書籍，你所閱讀的這本書，是我的第四本著作。我的個人品牌經營，絕對離不開內容創作，藉此累積影響力，也實現個人品牌變現，這是我最核心的能力，也是最擅長的事情。

第三，順勢而為，七年抓住五次機會

打造個人品牌的過程中，不能閉門造車，也不能只靠個人默默努力，而是要擁抱平台、擁抱趨勢，順勢而為。

順應時代的趨勢，利用平台和管道，放大自己的個人影響力。在這七年裡，我抓住了不同時期和不同平台的紅利期，七年抓住五次機會。

①二〇一五至二〇一六年，我抓住了簡書的紅利期。

②二〇一五至二〇一八年，我抓住了公眾號的紅利期。

③二〇一九至二〇二〇年，我抓住了知識付費和線上教育的紅利期。

④二〇一六至二〇二一年，我抓住了私領域流量的紅利期。

⑤二〇二〇至二〇二二年，我抓住了影音創作和直播的紅利期。

要持續掌握不同平台的紅利期，必須躬身入局。春江水暖鴨先知，我們要實際下水游泳，在實戰中提升自己的覺察力和判斷力。如果只是隔岸觀火，很難有這種切身的體會，也比較難一次次掌握不同平台的紅利期。

我們也一定要擁抱平台、擁抱管道，來放大自己的個人影響力。一個人的力量，是很難跟趨勢抗衡的，要懂得借力使力，借時代的力量、借平台的力量、借圈子的力量，付出同樣的時間和精力，懂得借力的人會創造更大的收益。

在網路上，領先集團的效應非常明顯，一步領先就步步領先。當你領先了一步，就有了更多的資源傾注，影響力會大幅提升。影響力的提升，又會帶來新的機會和合作，而形成一個良性迴圈。未來的內容創作，我依然會緊緊擁抱趨勢，擁抱平台，擁抱圈子，放大自己的勢能和影響力。

第四，不忘初心，方得始終

很多人做個人品牌，做著做著，就背離了自己的初心，就忘記了自己曾經為什麼而出發。

我覺得自己很幸運，一直都沒有背離自己的初心，也持續在為自己的初心而奮鬥。我開始寫作的初心很簡單：記錄自己的所想所思。這個初心打動我，讓我每天早起一個小時，在書桌前寫日記。

七年過去了，我的初心依然沒有變。就像此刻，也是清晨的早上，我一個人在書桌前，敲擊著鍵盤，一個字一個字寫下這些內容。

寫到這裡的時候，我眼淚不自覺地流了下來。沒有想到一個小小的決心，讓我在內容創作的道路上堅持了七年的時間。從二十多歲，到三十多歲，經歷成家立業、結婚生子。

《從零開始學寫作》的作者簡介上，我寫著「每一個不曾寫作的日子，都是對生命的辜負」。我一定會成為一個終身的寫作者和內容創作者，也會持續創作新的作品。

在三十五歲之前，我的目標是完成六本書的創作。這是我的第四本書，而接下來的第五本、第六本書的選題也確定了，一定會在這幾年內寫完這兩本書。

成為一個內容創作者，是一件非常幸福的事情。因為你有能力把自己的所想所思透過不同形式的創作記錄下來、傳播出去，在人類歷史長河，留下自己寶貴的經驗。人類璀璨的文明，離不開一代代內容創作者的耕耘和創作。

願你出走半生，歸來仍是少年。不忘初心，方得始終，越簡單的初心，反而越有力量。找到你內心深處，真正打動你的初心。

內容創作是一輩子的事情，當你找到了初心和內在動力，就能穿越不同平台的變遷，持續創作優秀的作品。這也是我創作這本書的初心，希望能影響更多人走上內容創作的道路，用內容影響更多人，記錄自己獨一無二的人生，也透過內容創作實現變現，打造個人品牌。

超級個體崛起的時代，每個人都應該去建立自己的個人品牌，會讓我們的人生實現跨越式成長，也會讓財富實現非線性增長。讓我們一起做一位長期堅持的優質內容創作者，打造個人品牌，升級財富和影響力。

最後分享我非常有感的兩個金句——

「你就是個人品牌，個人品牌就是你。」

「進入得足夠早，堅持得足夠久，做個人品牌界的常青樹。」

後記

讀書是一輩子的事！做一名終身閱讀者

蘇州大學教授朱永新老師曾說：「一個人的精神發育史，就是他的閱讀史。」書籍是我們的精神食糧，豐富了我們的精神世界。如果不看書，我們就會腦袋空空。

養育孩子也是一樣的，不僅要精心照料孩子的一日三餐，也要為孩子精心挑選精神食糧。我在寫這段話時，我家孩子推門而入，問我：「媽媽，覆盆子的英文是什麼？」他正在閱讀《我的第一本會講故事的單詞書》這本書。他非常喜歡理察．斯凱瑞系列的童書，已經翻閱上百遍，樂此不疲。

最近我在帶著他閱讀蔡志忠老師的國學漫畫系列，帶著他背唐詩，認識老子、孔子、孟子、莊子等古代哲人。他喜歡「孟母三遷」、「莊周夢蝶」、「庖丁解牛」等故事。

我特別喜歡《戰國策》裡的一句話：「父母之愛子，則為之計深遠。」為孩子選好書，陪伴孩子一起親子共讀，讓孩子愛上閱讀，養成讀書的習慣，就是在為孩子的長遠發展鋪路。

讀書是可以產生複利累積效應的，你的氣質裡，藏著你讀過的書和走過的路。讀過一本書的人，跟讀過一千本書的人，氣質是不一樣的。我們讀書，就是在耕耘自己的心田。

如果沒有讀書，就沒有今天的我。我一直非常感謝小時候的自己，做了一個重要的決定：好好讀書，改變自己的命運。

人生的命運，是掌握在自己的手裡的，當你下定決心改變，當你下定決心為自己的人生負責，你的人生就已經不同了。

我覺得自己很幸運，一路都接受了良好的教育，也特別感謝我的父母支持我的學業，我知道他們也很艱難。

我也很幸運，掌握了寫作這個技能，能將自己的故事、自己的所想所思分享出來，讓更多人看見。這是上天對我的厚愛，我也一直懷著敬畏心創作每一本書，也希望每一本書都能為讀者帶來收穫和啟發。

以前我很少寫自己的故事，在《精進寫作》和《從零開始學寫作》這兩本書中，你看到的全部是誠意滿滿的實戰內容。

而現在，我願意跟你分享我的生命故事，因為我曾經從書籍裡獲得生命的力量。我相信我的故事，也會帶給你生命的力量。

有時候，我們缺的不是方法，也不是知識，而是力量。當你沒有力量時，即使給再多的方法和知識，也不會去行動。

期待你看完這本書，獲得的不只是實用的方法，還有行動的力量。真正行動起來，用讀書改變自己的命運，透過讀書，遇見更好的自己，活出心想事成的自己。

讀書是一場無限遊戲，讓我們一起透過閱讀，活出幸福而豐盈的人生。

致謝

這本書能夠完成，離不開在各個方面給予我支持和幫助的人，請允許我在這裡向他們表示感謝。

首先，要感謝「弘丹寫作社群」所有學員，感謝你們的支持和信任，你們對讀書的熱情、對寫作的熱愛，也深深影響了我。

感謝我的先生，這些年一直支持我的讀書和寫作的事業，為家庭無條件付出。感謝我的孩子，你是我的軟肋，也是我的鎧甲，陪伴你慢慢長大，是我人生最幸福的事情。感謝我的公公婆婆，幫助我一起照顧孩子，讓我有更多的時間創作。

感謝我的爸媽給予我生命，讓我有機會接受良好的教育。也從小培養了我善良、勤奮、恆毅力的特質，讓我在人生的道路上披荊斬棘、乘風破浪。

感謝本書的編輯們，給這本書提出了寶貴的意見，讓這本書更加完善。

還要感謝本書的插畫師 veevee 老師[18]，為了呈現最佳的效果，一遍又一遍修改插畫。veevee 老師的主業是建築裝飾設計師，同時也是一位視覺插畫師，任職過阿里巴巴、微軟、亞馬遜、Honeywell 等知名企業，也是多本書的插畫師，累計視覺作品超過一千個。

最後，我要感謝閱讀這本書的你，感謝你的信任和支持，希望這本書能帶給你收穫和成長。讀書是一輩子的事，讓我們一起做一名終身閱讀者。

—編注—

18／指原書內文的插畫，繁中版無收錄。

附錄

20位實踐終身閱讀的創作者故事

閱讀會給我們的人生帶來什麼樣的改變？這部分，我想跟你分享一些實踐終身閱讀的故事。這些人，包括了國家運動選手、公司創始人、職場媽媽、二寶媽媽，還有退休的「五十後」。他們來自不同的城市，有著不同年齡和不同職業，但都有一個共同點，就是熱愛讀書和寫作。

◆讀書寫作讓我靜心覺悟，人間清醒

二〇二〇年，在疫情至暗時刻，培訓行業一片唱衰，實體授課全面叫停，我陷入了迷茫困頓之中。

曾經我一直想弄清楚什麼是「覺悟」，後來在寫作中我明白，「覺」就是「學習看見」，「悟」是我的心。所謂「覺悟」，就是「學習看見我的心」，而這一覺悟讓我走進弘丹年度寫作營。

寫作和直播，讓我實現了從線下到線上的商業模式轉型。

在年度寫作營裡，弘丹老師的一次答疑，點醒了我：「你為什麼不利用你的內容創作能力，嘗試做影片呢？」

聽了弘丹老師的建議，我開始做影片創作。沒想到，一支影片就有幾千上萬的瀏覽人數，後來我開起直播。每次直播，我都會把文案寫好，讓直播內容滿滿。

弘丹老師的線上營運思維，對我的商業模式轉型有很大影響。我決定把實體授課，轉型為線上教學。這個轉型，讓我走出疫情的影響，連續六個月實現了線上變現六位數，還獲得了影音頻道TOP10職場部落客。

讀書寫作，讓我一路成長，活得人間清醒。我喜歡寫日記，我用文字記錄了自己一路從一名默默無聞的助理，成為世界五百強亞太區高管的心路歷程。

二〇一二年我放棄高級主管職位，成為一名領導力發展顧問。如今我創辦自己的公司，成為中國頂級商學院客座教授，成就上百家企業和上千名領導人。

我的願景是：培養一百位全方位領導人，激發潛能，為公司和領導者帶來可衡量的結果。在中國培養行業和世界級領導者，推動中國企業走向世界。我堅信：領袖成長，眾人皆贏！

二〇二一年我加入弘丹寫作社群，之後又成為弘丹私董會成員。我成功推薦十二名企業高級主管加入年度寫作營。短短幾個月時間，我看到他們開始向內探索，從管理者蛻變為真正的領導者。

特別欣喜的是，弘丹老師也走進了LMI全方位領導人體系，並帶領她的團隊進入EPP學習。她透過自身和團隊的不斷學習成長，推動更多的女性激發潛能，活出綻放的人生。

人類一切的不幸源於不能平靜地與自我相處。LMI一直強調書寫的力量，而寫作可以讓很多管理者自我認知、澄澈思考，由內而外地生長。我希望寫作一路陪伴我，直到我離開世界的那一天。

【作者簡介】：古京麗，北大碩士、韋爾諮詢CEO。曾為多家世界五百強亞太區HR副總裁，管理過十個國家上萬名員工。中國最早的領導力發展資深顧問之一，全球第一領導力機構LMI中國股東和授權人。二〇二二年LMI全球奧林匹克亞洲唯一獲獎個人，全球和亞洲區成長領導金獎。

◆40歲不惑之年，愛上讀書寫作，擁有人生護城河

我，40歲剛出頭，有著令人羨慕的幸福家庭和穩定工作，看似小富即安，實則危機四伏。

事業方面，疫情之下到處是裁員降薪的新聞，我所在的公司，同樣艱難維持著。

家庭方面，大女兒正處叛逆期，小女兒正是幼小銜接的關鍵時刻，作為媽媽每天圍著家庭、事業打轉，忙到沒有自我。

偶然一次機會，看到弘丹老師的寫作訓練營，我毫不猶豫地報名，從此開啟了人生的另一片廣闊天地。

剛踏入寫作營時，我不僅寫作方面是個小白，閱讀量更是幾乎為零。在寫作社群，我從每天閱讀兩頁開始，養成了良好的讀書習慣，一年的閱讀量飆升到近百本。

我不僅自己讀書，還開啟了「大霞共讀」公益讀書群，二〇二一年一整年領讀二十多本書，影響了近百人一起讀書。

特別開心的是，讀書寫作對兩個女兒的影響也很大。大女兒寫的文章經常在校刊發表，小女兒六歲就已經能無障礙閱讀。老師更是經常表揚她們語言表達能力和想像力遠超同齡的孩子。

在寫作領域我也有不錯的成就：二〇二〇年，聽書稿實現獲刊；二〇二一年，自己寫領讀稿，新媒體文章刊登二十多篇；二〇二二年，寫的文章被收錄到即將出版的合集中，真的是太開心了。

經過這三年的不斷努力，我不只順利實現讀書和寫作變現，人生也活出了新的版本。讀書寫作拯救了我，我便模仿弘丹老師，帶著一群夥伴一起實現目標管理，不僅解決近百人的目標達成問題，還影響了十六位夥伴加入弘丹老師年度社群，一起讀書寫作。

現在回頭看，是讀書寫作讓我的人生有了夢想，是讀書寫作為我打開了新世界的大門，是讀書寫作讓我的人生第一次有了護城河。

在寫作成長營中，我活出自己，對生活充滿熱愛，我積極向上的生活態度也感染了許多人。我篤信，只要一直寫下去，人生會有更多可能，只要每天向著目標行動，夢想終會變成現實。

【作者簡介】：明媚，培訓公司首席講師，兩個女兒的媽媽，多家平台撰文作者，「積微目標管理社群」創始人。愛讀書、愛分享，努力的意義就在於放眼未來，生活中全是自己喜歡的人和事。

◆一年刊登一百一十三篇，讀書寫作讓我突破自我，創造奇蹟

曾經的我，是個十分頹廢的人，每天在公司做著重複的工作，意志幾乎被磨滅殆盡。我對這樣的自己感到很焦慮，希望能找到改變的方法。

某一天，我在荔枝微課上偶然看到了弘丹老師的課程，為了提升一下自己的寫作技巧，於是加入年度會員。完全沒想到，這裡為我打開了一扇新世界的大門，從此我快速蛻變。

二〇二〇年一月，弘丹老師親自為我們領讀一本書：《心態致勝》。這本書告訴我們，人有兩種思維：一種是固定型思維，遇到失敗會抱怨，停滯不前；另一種是成長型思維，愛上挑戰，不怕失敗。

我被成長型思維深深打動了，每天跟著老師的領讀學習，整本書讀完，我也成為一個擁有成長型思維的人。我廣泛涉獵不同書籍，整個人也變得積極主動起來。

我九十四歲的奶奶就是一名終身學習者，書不離身的她，特別打電話來支持我在弘丹寫作社群的學習，給了我很大的信心與溫暖。

我主動參與各項社群活動，不停汲取活動中的知識與經驗。現在的我，已經是年度會員的營運班主任與點評教練，帶動更多學員和我一起在寫作道路上成長。

不只如此，我在寫作上也取得了不錯的成就。**從二〇二〇年年初至今，我寫了一百六十多萬字，二〇二〇年刊登一百一十三篇文章，曾創下一個月內連續刊登三十一篇的奇蹟。**還有兩篇文章獲刊在百萬級別的公眾號「樊登讀書」。由於經常幫出版社寫書評，我成為優質書評人，實現了「看書自由」。

現在的我，從閱讀寫作中探索，變成一個擁有終身成長思維的人，不再焦慮，也找到自己真正熱愛的方向。

閱讀與寫作，已成為我生命中不可分割的一部分，它們讓我每年都活出更高版本的自己。**我對自己的人生不再設限，也遇到了自己更強大的模樣。**

【作者簡介】：蘇莉，閱讀寫作教練、優質書評人、學習類社群營運師、多平台簽約作者、百萬級公眾號刊登作者。熱愛寫作與閱讀，喜歡用文字與世界連接。

◆帶孩子四年，讀書寫作讓我活出全職媽媽的價值

我原本是一線城市裡一名光鮮亮麗的職場女性，在自己的職業領域也做出了一些成績。人到三十回到老家二線城市結婚生子，成為一名全職媽媽。

我每天一睜眼就是嗷嗷待哺的孩子，加入各種媽媽育兒群，也都是零星瑣碎的婆媳關係，再抱怨伴侶的不給力，自己也陷入了「怨婦心態」。

帶孩子的辛苦和不被家人理解的鬱悶，一度讓我的情緒跌至谷底。我看不到未來，也看不到自己的價值。

後來我遇到了弘丹老師的《精進寫作》，弘丹老師說：**「每一個普通人都可以透過寫作，實現人生的躍遷。」**這句話給了我非常大的鼓舞。

於是我毫不猶豫加入二〇二一年的年度會員，想要一整年都浸泡在寫作社群，貼身跟弘丹老師學習。

社群裡有很多投稿資訊，在收到育兒平台招募作者時，零基礎的我立刻就報了名。可真正收到稿件任務時，「我寫不出來，我不行」的聲音就環繞在我的耳邊。

差點就要被「躺平」的小人打敗時，另外一個有力的聲音也出現了：「不要放棄啊！你行的！你只要參與了，開始了，你就走在『變厲害』的路上！」

我每日練習寫作，終於刊登了第一篇育兒文，隨後很快就有第二篇、第三篇、第四篇……單篇稿費也從五十元跨越到八百元（人民幣）。還得到出版社編輯邀約進行勵志類書籍的共同創作，圓了「作家夢」。

在弘丹老師的影響和指導下，我又突破真人直播，加入營運團隊，成為寫作教練，還開啟個人寫作諮詢付費產品，讓我有了除稿費之外的多項額外收入。

在弘丹寫作社群，我透過寫作和讀書成功打破限制，得到了更多副業變現的機會，從手心向上的全職媽媽變成月收入破萬的自由撰稿人，個人影響力也大幅提升。

以前我一直期待有一天，自己能夠從容自信、優雅端莊地站在任何場合，不依附於他人，不再只作為某人的妻子、孩子的母親而被記住，我就是我自己。

如今我做到了，是讀書和寫作成就了我！

我重新審視「全職媽媽」這個身分，她不再是單純地帶孩子，而是能透過自己的興趣和熱愛，實現個人成長和人生價值。

讀書和寫作帶給你美好生活的感知力，當你活出閃閃發光的樣子，你就能影響身邊的人，溫暖自己，溫暖他人。

這樣的你，就能活出自己最大的價值，就是孩子最好的榜樣。

【作者簡介】：婷然 Tina，身在家庭心卻不願受束縛的全職媽媽，工商管理碩士，弘丹寫作第一批私董會員。學霸成長社社長，社群營運官，自由撰稿人。

◆閱讀寫作，讓我實現左手育兒，右手打造個人品牌

二〇一八年之前，除了育兒書籍，我基本上不太讀其他書。孩子的書卻是十年累積了上千本。所以，兒子小學高年級後，進入自主學習狀態，百分之八十的功課都是A甚至A+。

七年前，我從職場回歸家庭，成為全職媽媽，同時開始了持續學習，進行心理諮詢師、美國正面管教協會授權的講師、鼓勵諮詢師、家庭教育指導師認證，以及各種

聽書和紙質書閱讀等。

五年前，因為想解決孩子教育問題，我加入知識付費賽道，開啟自己的親子社群。我不僅自己學習，也持續分享，實現了真正意義上的學習變現。

這些年，我不斷透過閱讀持續精進。**關鍵不在於我們現在能賺多少錢，而是你的認知可以幫助你賺到多少時間的複利。**

二〇二〇年年底，我被弘丹老師深深吸引，她花了六年時間，打造千人讀書寫作社群。靠近弘丹老師，是因為我也希望透過閱讀寫作，獲得人生的躍遷。

二〇二〇年開始，我建立線上讀書會，帶著大家讀書成長。團隊成員養成了閱讀聽書和分享輸出的習慣，還開啟家庭閱讀，跟孩子和先生一起讀書。

二〇二一年，我希望朋友間的交流不僅是聊日常瑣事，還可以經由閱讀提升見識，因此創立了「無錫超能美媽線下讀書會」。

每次我都會選擇風景優美的地方，帶著大家一起線下讀書，還邀請特別會拍照的攝影師，拍美美的照片。很多相同頻率朋友加入讀書會，大學老師、心理諮詢師、創業人、全職媽媽等。

線上線下讀書會的持續營運，幫助我內外豐盈。我不僅打造了自己的個人品牌，還逐步建立核心團隊。更重要的是，我更有能力去經營家庭，引導孩子。父母成長的幅度，才是孩子人生的燈塔。我也和週末才回來的老公相約，每月共讀一本書。我和兩個孩子，也開啟了四期家庭讀書會。

我相信閱讀寫作可以影響更多女性，不管是在職場還是全職在家，都可以變得更加有自信。我推薦了十多位年度會員，未來還會影響更多小夥伴加入弘丹寫作社群，成為年閱百本的書香家庭，甚至影響第三代人。

閱讀寫作，也許不會讓你的人生立刻發生改變，卻是你活出心花怒放人生的必備能力。我們一起持續閱讀，收穫穩穩的幸福！

【作者簡介】：沈曉落，弘丹寫作私董會成員，無錫超能美媽讀書會創始人，擅長寫朋友圈文案的寶藏媽媽，家庭教育指導師，美國正面管教講師，育兒平台萬人團隊長。

◆讀書寫作，讓我突破迷茫，找到人生第二曲線

我喜歡創造性的事情，大學選擇了建築設計專業。畢業後，我成為一名建築師，承擔著比同齡人更多的工作職責。我大量吸收新的知識經驗，不斷思考如何在職場上更進一階。可是，幾年職場的超負荷工作，耗光了我的能量，我的身體也遇到了問題。尤其是當孩子發燒，我卻必須在公司加班時，我更加感到沮喪，不知道人生的意義是什麼。

從小到大，我都期待人生可以由自己主導。而那一刻，人生仿佛失去了掌控感。我開始強迫自己尋找第二曲線，為未來成為更好的自己做準備。

在完全沒有方向時，我決定先從閱讀寫作開始。因為閱讀可以拓寬思維，寫作幫助我思考輸出。從大量的閱讀中，我發現我對知識管理類、學習力類、筆記成長類書籍最感興趣。我不斷地學習、系統化梳理，並且在行動中累積經驗，構建了自己的知識體系。

更幸運的是，因為對閱讀寫作的喜愛，我遇到了弘丹老師，成為弘丹寫作社群四年的鐵杆會員。弘丹老師經常鼓勵我，讓我把自己高價值的知識分享給更多人。我參

與弘丹寫作社群的多次分享，線下活動的多次分享使我得到許多朋友的認可，讓我對自己的能力和知識更加自信了。

我繼而設計推出自己的「知識管理訓練營」課程，這個過程中，弘丹老師給了我很多督促並提出許多優化建議，讓我對自己的產品充滿了信心。到此書的截稿日前，我的訓練營已營運了四期，獲得學員的一致口碑好評。

現在是資訊量爆炸的時代，知識碎片化，反覆運算更新快。如果缺乏梳理知識的能力，就無法應對當下職場需求，容易被時代淘汰。透過知識管理塑造的核心硬本領，是我應對未來一切變化的盔甲，也是我真摯地熱愛這個領域，並努力分享給更多朋友的原因。

五年前的我，經歷著職場和人生的焦慮與困惑，是閱讀寫作拯救了我，並幫助我找到自己的人生願景和使命。現在的我生活很自如，白天上班工作，下班後安排好孩子的學習，然後投入到自己熱愛的領域中去。**我不再畏懼職場的任何不確定，因為我有對抗風險的知識變現力。**

有人說「種一棵樹最好的時間是十年前，其次是現在」，從現在開始，為自己種一棵樹吧。而閱讀寫作，一定是那最好的種子。

【作者簡介】：高小迷，個人知識管理教練、知識IP變現導師、國家一級註冊建築師。弘丹私董會成員，期待用一生來踐行「閱讀、行動、分享」。

◆六十四歲的我，又煥發了青春，只因遇上了弘丹寫作

大部分退休的人，都是頤養天年，照顧孫子。而我六十四歲了，卻跟一群年輕人在一起讀書、寫作、直播和做短影音，整天精神煥發。

朋友見到我，以為我做了什麼醫美療程，看我朋友圈的人，以為我是三十多歲的職業經理人，我也對自己的狀態很滿意。

其實在二〇一九年時，我不是這樣的。那時候我整天照顧孫子，感到疲憊、鬱悶、遲鈍和衰老，有一種深陷沙海、無力自拔的感覺。我以為這是自然規律，餘生將會一直這樣。

直到有一天，我遇見了弘丹寫作，沉睡在心中幾十年的寫作夢想被喚醒，那感覺就像在沙漠裡發現了一片綠洲，我毫不猶豫地報名成為二〇二〇年度會員。**在寫作社群，我不僅提高寫作技能，還改變了思維方式。**共讀《終身成長》，讓我獲得了成長型思維；學習「自信力」課程，讓我獲得了力量。我甚至經常在想，為什麼沒有早一點遇上弘丹老師。

在這裡我學會了寫聽書稿，現在我是多個平台的特約作者。這些平台都是從弘丹寫作社群連結的，我寫過聽書稿的書有：《小王子》、《蘇格拉底》、《活出意義：十項讓人生大躍進的卓越思考》（*The Code of the Extraordinary Mind: 10 Unconventional Laws to Redefine Your Life and Succeed On Your Own Terms*）等。寫聽書稿不僅可以深度閱讀一本書，學到作者多年的經驗累積，還能收到不菲的稿費。我現在的稿費早已達到五位數，N倍賺回了學費。我是聽書稿訓練營的點評老師，也是「弘丹早起讀書會」的審稿編輯。

我還學會了做海報、做影音、做直播。剛開始學做這些時，我認為太難了，自己學不會。弘丹老師鼓勵我們，不要自我設限。現在我做直播和短片都很嫻熟了。現在所有的這些事情，是從前完全不敢想的。

學習寫作讓我改變了很多。過去因為一點小事，我就會爆炸或者生悶氣。如今我照顧著中風的老媽，有時還要照顧兩個孫子，依然能夠心態平和、不急不躁，還能抽出時間寫作、直播、做社群。我完全忘記了年齡，六十四歲的我，感覺又煥發了青春。

如果你感到迷茫，就來學習寫作吧！現在是寫作最好的時代，互聯網＋智慧手機，可以讓你的文字插上翅膀，成為你打造個人品牌的有力武器。

【作者簡介】：樂部，弘丹寫作連續三年會員，多平台聽書稿特約作者，「弘丹早起讀書會」審稿編輯，聽書稿訓練營點評老師。愛讀書、愛寫作、愛分享的「50後」，致力於幫助更多人愛上讀書、愛上寫作。

七夏　千人社群營運負責人／視覺設計師／多平台特約作者

有人說：「認真讀書，就能找到被人生偷藏起來的糖果。」作為千人付費社群的營運負責人，畢業後的工作，就是我透過閱讀找到的「糖果」。

因為熱愛閱讀寫作，我順利入職弘丹老師的團隊，工作期間也持續閱讀，獲得了撰寫人物傳記的機會，我的第一本書，關於貝多芬的傳記即將上市。

因為閱讀，激發內心的力量，勇敢追尋夢想，我做出人生重要的決定：從天津搬到上海工作。來上海後，我視野開闊、事業開掛，創造了零基礎寫作營百分百的打卡戰績！

如果要推薦一本書，我會推薦你閱讀：《成功，從聚焦一件事開始：不流失專注力的減法原則》（*The One Thing: The Surprisingly Simple Truth Behind Extraordinary Results*）。

琪琪

社群行銷負責人／超人氣主播／閱讀寫作推廣人

我們在人生前進的路上，會遇到很多的困惑，讀書就是一種很棒的解惑方式。加入弘丹寫作社群後，我跟隨弘丹老師一年深度閱讀二十四本書籍。讀書，讓我開啟了獲刊變現之路，我把讀過的書寫成了文字，〈先做英雄，後做美人〉也被收錄合集出版。

讀書豐富了我的直播內容，每天早上七點我都會在「琪琪弘丹寫作營」直播，跟大家分享好書，累計直播兩百多場。讀書可以改變命運，我透過讀書找到了一生的使命：幫助更多的夥伴，養成閱讀寫作習慣。

如果要推薦一本書，我會推薦你閱讀：《了凡四訓》。

馮小敏

國家輪椅網球隊運動員／達內教育金牌講師／高級運維開發工程師

我參加過亞運會，拿過世界盃冠軍，參加過四屆全運會，獲得三金五銀三銅的成績。同時我也是高級運維開發工程師，達內教育的金牌講師、追夢榜樣。

我一直都有寫作的想法，想把自己的故事寫出來，卻一直沒有行動。二〇二一年年底，我在網上找到了弘丹老師，在琪琪和弘丹老師的鼓勵和幫助下，加入寫作社群，和更多愛寫作的同學們一起共同學習成長。

在這裡，我一年讀完六十本書，寫了十多萬字。除此之外，我也在營運社群幫助運動員解決一些生活和工作的問題，影響更多人愛上讀書寫作，不斷豐盈自己生命的厚度和寬度。

如果要推薦一本書，我會推薦你閱讀：《心力》。

莉莉安吳　「熊貓自遊人」公眾號主理人／家庭教育指導師／閱讀寫作達人

人生的運氣都藏在我們讀過的書裡。我熱愛閱讀寫作，零星有作品刊登在《媽咪寶貝》、《育兒世界》和《兒童文學》等雜誌上。育兒博文被收錄在《全球百名新浪名部落客談育兒》書中。

跟著弘丹老師一起閱讀寫作，讓我找到了自己的人生夢想：希望能用文字結識更多的朋友，影響更多人愛上讀書。

如果要推薦一本書，我會推薦你閱讀：《心態致勝》。

慢慢　每天讀點故事簽約作者／聽書稿獲刊作者／理科博士

因為讀書，我加入了弘丹寫作社群；因為讀書，我認識更多優秀的人，遇見了更多可能。一年的時間，我從寫短書評到寫六千多字的聽書稿，單篇稿費從三百元漲到一千五百元。我兩個月過稿六篇聽書稿，稿費六千多元。我從寫作小白成長為聽書稿的點評老師、大平台的簽約作者，一切以往的不可能都變成了可能。

如果要推薦一本書，我會推薦你閱讀：《菜根譚》。

哈哈靜　十點讀書簽約作者／聽書稿獲刊作者／線上運動私人教練

二〇一九年年初，我參加了弘丹老師組織的「十天寫三萬字回憶錄」活動，由此開啟了「我手寫我心」的自由寫作，讓我更加堅定個人奮鬥的意義。

此後，我便跟隨弘丹老師開啟讀書寫作變現之路，刊登在「十點讀書」、「方太幸福家」等平台，累計稿費一萬三千餘元。我不但把讀過的書變成錢，還學以致用，活出閃閃發光的自己。

如果要推薦一本書，我會推薦你閱讀：《寫出心靈深處的故事》。

晨星　「75後」公務員／上海財經大學公共管理碩士／高級會計師

二〇二〇年年底，我被弘丹老師身上的自律積極、勇毅堅韌的特質所吸引，小時候的寫作夢被喚醒。加入弘丹寫作社群，我與更多同頻的人走到一起，共同學習成長。

在這裡，我一年讀完了一百本書、聽了六百本書，書寫四十五萬字，多平台獲刊二十多篇。除此之外，我還提升了社群營運能力，影響更多人愛上讀書寫作，以此不斷豐盈自己生命的厚度和寬度。

如果要推薦一本書，我會推薦你閱讀：《心靈地圖：追求愛和成長之路》。

大慧 互聯網大廠前高級產品經理／家庭繪本閱讀講師／教育業私域操盤手

近朱者赤，跟弘丹老師學習，我不僅愛上閱讀，也掌握了高效的閱讀方法。我邊閱讀邊經營自媒體，從全職媽媽過渡到自由職業者。

加入弘丹老師的私董後，我從鏡頭恐懼到一個月開啟八場直播，好的狀態吸引朋友加入年度會員，成為社群的影響力之星，三個月賺回私董學費。

在弘丹老師的輔導下，我開發出家庭繪本共讀私房課，預售階段就開單，打通個人品牌飛輪。我也開發了一對一諮詢產品，成為九點八分的在行行家。

女兒也更愛看書了，我們常常一家人一起看書，一起辦家庭故事會，成為書香家庭。閱讀改變了我的生活，讓我重新閃閃發光。

如果推薦一本書，我會推薦你閱讀：《與成功有約：高效能人士的七個習慣》。

周文心 985碩士／職場媽媽／多平台簽約專欄作者

985高校碩士畢業後，我如願進入一家大型國企工作，期待有一番作為。然而現實很骨感，我只負責簡單的工作，巨大的落差讓我痛苦不堪。改變源於《精進寫作》，讀完後我發現不必冒險放棄工作，也不必糾結自己究竟要做什麼，堅持讀書寫作就可以讓生活氣象萬千。

我用業餘時間寫作，上稿刊登在多個平台，一個月刊登七篇，賺到了稿費。我還因為寫作能力出眾被領導賞識，順利轉單位到核心部門。我還帶寶寶讀書，打造書香家庭。兩歲的娃不僅能隨時安靜專注，還能背下十幾首古詩，效果好得讓我驚豔。讀書讓人進步，我透過讀書寫作啟航職場新征程，內心篤定有力量。

如果要推薦一本書，我會推薦你閱讀：《你的生命有什麼可能》。

星辰 資深活動主持人／企業和家庭諮詢顧問／男孩自驅力教練

二〇二二年我加入年度寫作社群，並成為第一批弘丹私董，通過弘丹老師一對一諮詢輔導，我找到了自己的人生定位。

讀書寫作豐富了我的學習和生活，每天早上六點到九點我專注讀書寫作三小時，並進行十二項日課打卡。

寫作營讓我深耕自己的專業領域，提升寫作能力，實現獲刊。視頻號直播課讓我開啟了直播，我已完成三十六場《星辰有約》父母直播訪談，影響了十一位夥伴加入年度會員，成為影響力之星。

如果要推薦一本書，我會推薦你閱讀：《給大人的人生翻轉學：科學家教你如何用大腦喜歡的方式學習，開發潛力，轉換跑道，創造第二人生》（*MINDSHIFT：break through obstacles to learning and discover your hidden potential*）。

居燃　心理諮詢師／覺知力教練／閱讀寫作教練

毛姆說：「閱讀是一座隨身攜帶的避難所。」加入弘丹寫作社群之前，我一年讀書不過兩三本。加入之後，我兩年閱讀三百多本書，兩年寫了三百五十萬字，二〇二一年直播了一百零四場。

寫作、閱讀、直播，是我個人品牌的三大利劍。如果說閱讀是磨劍，寫作和直播就是亮劍，個人品牌變現就是擊劍。如今，我踏上成長的高速公路，影響力越來越大，感恩遇見弘丹老師。

如果要推薦一本書，我會推薦你閱讀：《擁有一個你說了算的人生》。

享邑　閱讀寫作教練／財商領航教練／法務工作者

曾經有人提寫作，我會說：「我作文就沒及格過，我不會寫，寫不來。」現在我會說：「我是一名寫作教練，我實現了自己的寫作夢想，完成了從零到一的挑戰。」僅僅一年的時間，我從不會寫到已經刊登二十多篇文章，為方太幸福家、育兒、美妝等多個平台寫稿。

我從內向、不善與人溝通，到學會了統籌安排各項事務，成為一名優秀的運營官，成為年度會員的班長，負責的聽書稿班級百分百完成打卡。

我們擁有無限潛能，需要一位元領路人去激發出來！

如果要推薦一本書，我會推薦你閱讀：《腦力全開：打破局限信念，加速學習，開啟無限人生新境界》（*Limitless: Upgrade Your Brain, Learn Anything Faster, and Unlock Your Exceptional Life*）。

暖茉 公務員／慢跑愛好者／書評人

二〇二一年，我想給五年後的自己送一份禮物，因為五年後是我退休的日子。禮物的標準是：能讓自己感受到幸福。所以，我選擇加入弘丹寫作社群。

我從一年讀三本書到一年讀五十多本書，從寫作小白到文章獲刊，再到寫書評文章，實現寫作變現。我從這裡出發，走出「中年危機」，生命變得更加充實，感受到真切的幸福。

如果世上真的有一劑良藥可以療癒心靈，那就是讀書。不論多少歲，不論在哪裡，現在就是最好的時光，不斷讀書，向上生長。

如果要推薦一本書，我會推薦你閱讀：《當下的力量：通往靈性開悟的指引》（*The Power of Now: A Guide to Spiritual Enlightenment*）。

富能量 074

讀書變現的創作法則

心得書評、聽書文稿、短影音和直播，新手必學、說書系 KOL 一定要懂的品牌獲利管道

作　　者：弘丹
責任編輯：賴秉薇
文字協力：楊心怡
封面設計：葉馥儀
內文設計、排版：王氏研創藝術有限公司

總 編 輯：林麗文
主　　編：高佩琳、賴秉薇、蕭歆儀、林宥彤
行銷總監：祝子慧
行銷企畫：林彥伶

出　　版：幸福文化／遠足文化事業股份有限公司
地　　址：231 新北市新店區民權路 108-3 號 8 樓
網　　址：https://www.facebook.com/happinessbookrep/
電　　話：（02）2218-1417
傳　　真：（02）2218-8057

發　　行：遠足文化事業股份有限公司（讀書共和國出版集團）
地　　址：231 新北市新店區民權路 108-2 號 9 樓
電　　話：（02）2218-1417
傳　　真：（02）2218-8057
電　　郵：service@bookrep.com.tw
郵撥帳號：19504465
客服電話：0800-221-029
網　　址：www.bookrep.com.tw

法律顧問：華洋法律事務所　蘇文生律師
印　　刷：中原造像股份有限公司
電　　話：(02)2226-9120
初版一刷：2023 年 11 月
初版二刷：2024 年 6 月
定　　價：420 元

讀書變現的創作法則：心得書評、聽書文稿、短影音和直播，新手必學、說書系 KOL 一定要懂的品牌獲利管道 / 弘丹著 . -- 初版 . -- 新北市：幸福文化出版：遠足文化事業股份有限公司發行 , 2023.11

面；　公分

ISBN 978-626-7311-83-7(平裝)

1.CST: 讀書法 2.CST: 閱讀指導 3.CST: 寫作法

019.1　　112016932